Encuentro a solas con Dios

EMILIO L. MAZARIEGOS

ENCUENTRO
A SOLAS CON DIOS

*Método para llegar a la oración
de recogimiento interior*

SAN PABLO

EMILIO L. MAZARIEGOS nació en Valladolid (España) en 1934. Es licenciado en Teología y Hermano de La Salle. Durante 30 años realizó su misión en España y Portugal, especialmente a través de la docencia y de la Pastoral Juvenil. En 1985 comenzó su misión en Centroamérica, ante todo en el área de la espiritualidad cristiana y la formación. Reside actualmente en México.

Título
Encuentro a solas con Dios

Autor
Emilio L. Mazariegos

© SAN PABLO
Carrera 46 No. 22A-90
Tel.: 3682099 – *Fax:* 2444383
E-mail: editorial@sanpablo.com.co
www.sanpablo.com.co

ISBN
958-607-978-3

5a. reimpresión, 2008
Queda hecho el depósito legal según
Ley 44 de 1993 y Decreto 460 de 1995

Distribución: Departamento de Ventas
Calle 17A No. 69-67
Tel.: 4114011 - *Fax:* 4114000
E-mail: direccioncomercial@sanpablo.com.co

BOGOTÁ – COLOMBIA

*A los jóvenes creyentes que buscan
en lo profundo de su corazón la experiencia de Dios,
EN JESUS,
movidos por su Espíritu,
a través de la Palabra de Vida.
A los jóvenes que buscan en el Amor de Dios
la fuerza interior para amar
hasta las últimas consecuencias a los hombres,
en servicio del Reino.*

*A san Juan Bautista de La Salle,
un hombre de fe y celo,
que entregó su vida a Dios
en servicio de los jóvenes,
y para quienes escribió un Método de Oración
y les enseñó a orar, orando con ellos.*

*Al hermano Guillermo Félix,
creyente de corazón joven
y "excelente amigo".*

La montaña y la estrella

En el corazón existe un deseo profundo de Belleza. El corazón del hombre y de la mujer buscan lo bello, lo puro, lo transparente, como la golondrina su nido para dejar sus polluelos. El corazón tiene sed de Dios como el río lo tiene del mar. El corazón, el interior, necesita a Dios como el niño necesita de la ternura y cuidados de la madre. El corazón es profundo y misterioso como la montaña y es preciso adentrarse en él, perderse en su espesura, abrir camino hacia lo desconocido, para descubrir en lo más hondo y secreto, una estrella.

La montaña es fascinante, pero también lo es el mar en sus aguas transparentes y profundas. Y al mar llegué en una mañana del sábado para contemplarlo desde un acantilado desnudo y abrupto. Desde ese bello balcón asomado al mar sentí en mis ojos la frescura de sus aguas. Unas aguas, al ritmo de las olas, hechas espuma. Subían, golpeando, la roca y se dejaban caer arañando el acantilado como si tuvieran miedo a perderse de nuevo en el mar inmenso. Allá abajo, donde la ola y la roca se juntaban, un brazo de espuma verde, azul, blanca y amarilla alegraban mis ojos. Sentí ganas de orar. Y le dije a Dios: *"Oh Dios, qué grande eres. Oh Dios, qué inmenso y bello eres. Has dejado en esta espuma, como en un arco iris, tu Belleza. Has pasado por aquí y se palpa tu presencia. Oh Dios, te amo".* Al poco rato sentí ganas de cerrar los ojos. Lo hice y caminé, miré hacia lo profundo de mi corazón y desde el silencio interior le dije de nuevo: *"¡Oh Dios, si es tan hermoso contemplar tu belleza en esas huellas que has dejado en la espuma de colores; si por ella solamente has pasado... cuánta más belleza habrá en lo profundo de mi corazón, donde tú 'no has pasado', sino que 'habitas, estás'!".*

La soledad y el silencio es camino para el encuentro a solas con Dios-Amor. La montaña es símbolo de lo sagrado, de ascensión, de penetración, de ahondamiento. Diría que de aventura y sorpresa. La montaña es lugar de encuentro entre lo de abajo y lo de arriba, entre la tierra y el cielo. Se tocan los dos. Es lugar de encuentro entre Dios y el hombre. En la montaña Dios vio el corazón de Moisés y lo amó con ternura y fidelidad. En la montaña Moisés vio el rostro de Dios y quedó anonadado, rendido, caído rostro en tierra adorando y aclamando al Dios Vivo. De la montaña bajó Moisés emanando luz y resplandor en su rostro. En la montaña peleaba Moisés, el Liberador, las batallas de su pueblo. En la montaña Moisés, a solas con Dios, se hizo contemplativo, amigo y confidente de Dios. De la montaña surgió el gran profeta, el hombre de la Palabra, de la Alianza.

La subida a la montaña tiene un guía. Se sube a ella con los ojos puestos en la luz de las estrellas. La montaña y la estrella se tocan, se sienten cercanos. Nunca es más blanca y pura la luz de la estrella como cuando se la contempla desde lo alto de la montaña. Nunca la estrella entra empapando la vida tanto como cuando se la mira desde la soledad y el silencio de la montaña. Pero la estrella es símbolo de la fe. La estrella que conduce a Jesús. La estrella distante y cercana, que solamente es visible en la noche. Cuanto más oscuro, más puro su brillo; cuanto más noche, más presente. Algo así es la fe. Es ese no ver para ver; es ese no saber para saber; es ese no sentir para sentir; es ese abandonarse a su luz hasta que venga el alba, y agarrarse a ella —la estrella matutina—, hasta que aparezca la estrella que surgió de entre las estrellas: el sol.

La oración es ese *encuentro* entre el creyente y Dios. Un encuentro a solas, como lo hacen los enamorados. Un encuentro al que ha conducido la fe. Porque la oración es experiencia de fe y alimento de la fe. La oración es esa búsqueda incansable en el fondo del alma de ese **tú** que es Dios, con mi pobre **yo** que tiene ansia y hambre de El. Es bello orar, porque es bello amar. Es bello orar porque es contemplar, mirar en *una mirada sencilla,* el rostro de Dios, ese Mar inmenso que todo lo inunda. Es bello orar porque es hacer *"simple atención"* de amor a ese Dios entrañable que lo llevamos en lo íntimo de nuestro ser. Es bello orar, dar un tiempo a Dios, porque la vida se hace densa, profunda, entrañable como la montaña, donde se respira el aire fresco y limpio. Es bello orar porque, como la hoguera encendida, se aviva el fuego de la fe y la llama acoge e ilumina la noche de nuestra vida cada día. Es bello orar porque, cuando oramos, en nuestro cielo, en nuestro corazón, se abren de par en par las estrellas que Dios ha puesto en nuestra noche. Y se hace día, y podemos caminar como hijos de la luz. Porque un corazón sin estrellas es como una playa sin niños o un prado sin margaritas y mariposas. Cuando dejamos de orar, la vida pierde su sabor de fiesta.

Hace unos años escribí *"La aventura apasionante de orar"*. Y realmente sentí miedo de tocar este tema de la oración. Hoy de nuevo quiero adentrarme en el tema de la oración personal, de la oración a solas con Dios. Y esta vez siento una responsabilidad grande al hacerlo, porque no voy solo, sino que "la estrella" que me conduce a poner mi pie descalzo en la montaña es la de un gran orante, la de un hombre de Dios, que subió a la montaña y se hizo testigo oracional y maestro de la oración. Este hombre tomó como lema de su vida "la estrella", porque hizo de "la fe" el sentido profundo de su caminar. Dejó esto escrito: *"... No mirar nada sino con los ojos de la fe, no hacer nada sino con la mira en Dios y atribuirlo todo a Dios"*. Este hombre de ayer y de hoy se llama Juan Bautista de La Salle. Es un santo. Es el Fundador de los Hermanos de las Escuelas Cristianas, dedicados a la formación humana y cristiana de los jóvenes. Es un hombre que lo dio todo, en sus Hermanos, a los jóvenes, sobre todo a los más necesitados, a los más pobres. Este hombre amó profundamente la juventud y su amor sigue vivo entre nosotros.

Es de ayer y es de hoy. Nace el 30 de abril de 1651 y muere un viernes santo, 7 de abril de 1719. Muere orando con su *mantra* favorito y que ha repetido a lo largo de su vida sin cansarse: *"Padre, adoro en todo tu voluntad, tu amor para conmigo"*. Este hombre, además de su Obra, dejó varios libros escritos. Ahora solamente quiero traer aquí lo que escribió sobre la **oración.** Tal vez no sea lo suficientemente conocido. No importa. Yo voy a intentar entrar en su alma, en su espíritu, y desentrañar sus páginas. Sobre todo su *Método de oración de la mente y del corazón.* Así lo llama. Lo escribió para los **jóvenes** que llegaron a su casa buscando un seguimiento radical de Jesús a través de las Escuelas Cristianas. Lo escribió para ayudarles en el camino de la oración. Lo escribió, dándole la redacción final en el ocaso de su vida, entre octubre de 1717 y marzo de 1718.

En su Método es práctico, concreto, sencillo. Habla muy poco de lo que es la oración, y mucho de cómo hacer oración de recogimiento interior, de aquella que se hace, como él dice, *"en el fondo del alma"*, *"en la parte más secreta del corazón"*. En su Método enseñar a orar, orando. Todo él está lleno de oraciones que ayudan a ir entendiendo el ejercicio de la oración interior. Y no voy a traer sus textos sobre oración, ni las

11

oraciones que él hizo. Con todo, mi intento es ofrecer a los jóvenes de hoy este Método de oración personal de san Juan Bautista de La Salle, siendo fiel a su espíritu y técnica. Lo esencial de su Método es el *"encuentro"* con Dios, poniéndose en su presencia y el *"orar la Palabra de Dios"* en referencia a Jesús. Porque Jesús es el centro de su Método.

Los pasos que vamos a dar siguiendo su Método, sin duda nos van a ayudar a caminar, durante el día a día, *"en la Presencia de Dios"*. Nos van a ayudar a que *"Jesús viva siempre en nuestros corazones"*. Nos van a ayudar a *"adorar en todo la voluntad de Dios, el plan de Dios para con nosotros"*. Su Método nos va a llevar a *"ocuparnos interiormente de Dios"* y a *"aplicar nuestro corazón a Dios"*. Es el camino para ocuparnos de los hermanos luego y aplicar nuestra vida en su servicio. Cada hombre es como una montaña misteriosa en la que hay que entrar; cada hombre tiene su estrella que debe descubrir, saber mirar y seguir. Pero antes de llegar al hombre es preciso entrar en la montaña, iluminados por la estrella, para hacer un *"encuentro a solas con Dios"*; un Dios que se manifiesta Amor y lleva al encuentro con los hombres.

Cuando en Roma examinaron el Método de Oración de Juan Bautista de La Salle antes de subir a los altares, el censor romano que lo examinó dejó escrita, sobre él, esta frase lapidaria: "Un libro de oro; lleno de prudencia y de una ciencia mística y ascética selectísima". Así termino esta introducción. Ahora se trata de deshojar, página a página, su Método, sin atarme a la letra y yendo más allá: a su espíritu.

En el umbral del encuentro

La oración
es un encuentro con Dios

Dedica cada día un tiempo
a estar a solas con Dios
porque le amas.

1. Un tiempo para Dios

No tengas miedo en perder tu tiempo con Dios. No tengas miedo en estar a solas en su compañía. Deja atrás lo que te ata y dispersa, y sube, como Jesús, a la montaña para orar. Recuerda que, en su vida, los 30 años de Nazaret es un tiempo como perdido para su Dios, para su Padre. Ten presente que con frecuencia, en los tres años de su misión, de madrugada se iba solo a un descampado y allí esperaba el amanecer orando a solas al Padre. Y cuántas veces, en las noches, se adentraba solo en la espesura del monte y allí oraba en soledad y silencio al Padre. Testigos constantes, las estrellas de su cielo. No tengas miedo en hacer lo que Jesús hizo y repetir sus gestos, sus hechos.

En tus manos el Evangelio puede hacer de tu vida el mejor camino oracional, el mejor método que te conduce a la experiencia de Dios. Si deseas, ábrelo en Lucas, el evangelista de la oración, en el capítulo nueve. Recorre los versos del 28 al 36. Y pon los ojos, en simple atención de fe y amor, en Jesús. Lo verás como Pedro, Santiago y Juan, más luminoso que la luz de las estrellas. Y repítele, despacio, una y mil veces más: *"Maestro, bueno es estarnos aquí"*. Porque orar, no lo olvides, amigo, es estar a solas, con amor, con Jesús. Y decirle, de vez en cuando, desde la paz y el silencio, que estás a gusto con él, que le quieres mucho, que es bueno estarse en oración con él. Así de sencillo, porque el amor lo hace todo fácil.

No tengas miedo, amigo, ni te llenes de temor, al abandonar tu corazón en las manos del Espíritu de Jesús, esa nube que te va a cubrir, te va a meter dentro de ella. Abre tu corazón a la esperanza, y no temas lo que va a pasar. Si eres fiel en orar con frecuencia, en dedicar tiempo a Dios, verás cómo tu vida se volverá también radiante, luminosa, y verás el rostro de Dios. No tengas prisa, aguanta, permanece, hasta que llegues a escuchar la voz del Padre que te dice: *"Este es mi Hijo, mi Elegido; escuchadle"*. No intentes decir nada. Deja que la Palabra de Dios caiga, como lluvia fresca y suave, en la tierra de tu corazón. Deja que su Palabra te penetre, te moje, te empape, hasta que sientas el gozo de la presencia de Jesús en tu vida y te encuentres "con Jesús solo". Entonces, no bajarás de la montaña tú solo; sino en compañía de Jesús.

Me dirás: ¿cómo orar, cómo sé yo que lo que hago es oración verdadera? Yo te respondo, amigo, que no te preocupes tanto al principio de lo que haces en esos encuentros a solas con Dios, sino de ir a encontrarte con él, de estar con él, de ser fiel en los encuentros cada día. El mismo Señor, por medio de su Palabra de Vida, te irá enseñando a orar. No tengas prisa. Es un método largo, pero eficaz. Da tiempo al tiempo, da tiempo a Dios, que él realizará en ti su Obra. Hasta que un día te asombres de las cosas bellas que él va haciendo en ti. No olvides, amigo, que en esos encuentros, Dios te va cambiando el corazón y te va transformando cada vez más en su Hijo, hasta que quedes identificado con él y puedas decir, —lo que vas a decir un día— *"vivo yo; ya no yo, sino que es Cristo quien vive en mí".*

Te digo desde el primer momento: no tengas prisa. Espera con paz. Abre tu corazón a la acción del Espíritu de Jesús. El irá, poco a poco, paso a paso, cambiando tu vida y cambiando tu manera de orar. Porque la oración cambia en la medida que tu vida se convierta al Señor. Deja el pecado, aunque sigas sintiendo que eres pecador. Deja el pecado y entrega tu corazón a Dios como lo mejor de tu vida como el Todo en tu pobre nada. Si te sientes en esos encuentros pobre, pecador, no lo dudes, eso es una gracia que Dios te va regalando. Solamente ante la santidad de Dios el hombre se siente pecador solamente ante su grandeza el hombre se siente pequeño. Cuando te sientas así, quédate acurrucado ante él, permanece como un granito de arena en la inmensidad del desierto o como una gotica de agua en la inmensidad del mar. Y dile a Dios —*"Oh Dios, tú eres mi desierto inmenso; yo me pierdo, como granito de arena, en la inmensidad de tu amor. Oh Dios, yo me siento frágil como una*

16

gotica de agua en tus manos llenas de bondad y ternura. Oh Dios, tú lo eres todo yo no soy nada. Yo te adoro y me alegro de estar aquí contigo".

Aunque te ofrezco un Método para que te ayude a encontrarte con Dios a solas no te agarres a él sin más. No pongas en el Método tanta confianza que creas que ya encontraste la respuesta a tu camino oracional. Usa el Método, pero no te esclavices al Método. Sé libre ante Dios, pues el único que enseña a orar de verdad es el Espíritu de Jesús. Experimentarás, a medida que seas fiel en la oración diaria, cómo tu corazón es como un abanico, cómo tu corazón tiene muchas necesidades y es bien cambiadizo. No quieras forzarlo; pero vete, poco a poco, educándolo en lo esencial. Poco a poco vete centrándolo en el Centro, que es Jesús. Y no tengas miedo de dejar cosas que te parecían antes tan importantes y que, al lado del conocimiento y amor de Jesús, ahora te parecerán como basura. Vete en la oración a lo esencial, que es el amar a Dios y dejarte amar por él. El resto vendrá por añadidura; pero no olvides que para conseguirlo necesitarás dedicar muchos tiempos y durante muchos años —toda tu vida— al Señor que te espera cada día a solas porque es tu amigo y le gusta estarse contigo, porque te ama. La amistad no mira el tiempo gastado, sino los ojos del amigo.

Abrete a saber orar de muchas maneras, aunque vayas detrás de ese método que el Señor te irá enseñando a medida que seas fiel a los encuentros con él. Tendrás días en que tu oración será, tal vez, tan sencilla, que te limites a orar con los labios; será lo que

17

llamamos *"oración vocal"*. No importa que a veces pases tu oración diciéndole cosas a Dios con los labios; no importa si lo que dices con la boca lleva el calor que sale de tu corazón. Sobre todo, esto te pasará en momentos en que te cuesta concentrarte, en los momentos en que te sientes cansado o disperso. Acepta el orar así, con los labios. Acepta el decirle a Dios tus oraciones más queridas, aquellas que te han acompañado tantas veces en la vida. No olvides, amigo, que Dios no mira tus labios, sino que pone sus ojos en lo profundo de tu corazón.

Otras veces, en el encuentro con Dios limítate, si así se despierta tu deseo, a tomar el Evangelio, a tomar un Salmo y hacer una *lectura* tranquila, serena, calmada, de la Palabra de Dios. Lee despacio la Palabra interiorizándola, y déjala que vaya cayendo en tu corazón. Lee un pasaje con paz y cierra luego los ojos y no pienses nada, dejándote caer en ese silencio que te hará presente lo esencial del texto que has leído. Una oración así es importante para que te vayas familiarizando con la Palabra de Dios, para que vayas aprendiendo a escuchar al Señor y no hablar tú sólo. Una oración así te llevará a ir descubriendo, poco a poco, la voluntad de Dios que se manifiesta en su Palabra. No lo olvides, amigo, que a la oración vamos, sobre todo, a escuchar a Dios, a dejarle hablar.

Hay momentos en la vida en los que necesitas pensar, razonar, llegar al fondo de alguna cuestión o problema. Se trata de buscar razones para llegar a una conclusión, o de motivar la vida porque te das cuenta de que le falta profundizar. Entonces es bueno el *meditar*. Es bueno el reflexionar. Es bueno para aclararse, para salir de una confusión. Un libro leído despacio, la misma Palabra de Dios buscando en ella argumentos o tus propios pensamientos profundizados, te ayudarán. La meditación es buena, pero si se hace con frecuencia en el encuentro con Dios llega a cansar, a aburrir, a no satisfacerte. Es más bien un encuentro contigo mismo, aunque estés en la presencia de Dios. Pero también ésta es una de las posibilidades de tu abanico oracional.

Y llegamos a este tipo de oración que llamo *"encuentro con Dios"*. Es lo que intentaremos profundizar en el Método. La Oración que es un diálogo entre Dios y tú; un diálogo desde tu silencio y el de Dios; un diálogo apoyado en la Palabra de Dios; un diálogo cultivado a través de un sentimiento interior; un diálogo que consiste en una mirada al Señor y en dejarse mirar por el Señor; un diálogo que supone la presencia de un yo y un tú. Un diálogo que se da en clima de amor. Un diálogo que se realiza en espíritu y en verdad en el interior, en el corazón.

Un paso más y aquí la acción en el encuentro con Dios ya no es tuya, sino de su Espíritu. Se trata de la *contemplación*. Que sencillamente es el amor a Dios en ejercicio. Es una experiencia profunda sin palabras, silenciosa entre Dios y el alma. Llena el corazón de paz, de gozo, de alegría y bien. El corazón se siente en un impulso ciego de amor a amar a Dios con todo su ser. El corazón se goza en Dios y permanece en su amor, no ya en los ratos que dedique a la oración, sino a través de todo el día. Dios se vuelve, en el fondo del alma como *"la música callada"* y *"la soledad sonora"*. La contemplación es un don de Dios y exige mucha pureza de corazón. Es una gracia que Dios da al que le ama, al que es constante en su búsqueda. Antes de llegar a ella, Dios pone a prueba el amor del creyente para que le ame por sí mismo, por Dios mismo. Tú estás llamado a ser contemplativo; si tu corazón permanece en ejercicio de oración con frecuencia, Dios se hará el Sol y la Gracia de tu vida. El contemplativo es el hombre de Dios que irradia a Dios desde lo profundo de su corazón. Es un regalo de Dios a la Iglesia.

Por fin quiero recordarte que el encuentro con Dios en los tiempos fuertes de oración no se queda en ellos mismos, no muere con esos momentos. En la oración, Dios va cambiando la vida del orante por medio de su Espíritu, y la va identificando con Jesús, su Hijo. En la oración, Dios va modelando la vida del creyente según el estilo de vida de Jesús. Y luego le lanza a la vida, a la acción, para que sea testigo de lo que ha visto, oído, palpado, tocado durante esos encuentros a solas con Dios. El orante se convierte en testigo, en apóstol, en enviado con una misión: la de hacer de su vida un servicio profundo del Reino. La oración y la vida van juntas. El orante lleva la vida a la oración y luego lleva la oración a la vida. El orante ora como vive y vive como ora. La oración misma es ya una acción, un tiempo que es necesario para que la misma acción, el compromiso, sea fecundo. Jesús dice que *"quien está unido a mí, ese da mucho fruto, porque sin mí no podéis hacer nada".*

Quiero, amigo, que recuerdes este proceso oracional, esas posibles maneras de relacionarte con Dios. Recuérdalas con estas palabras en latín, muy clásicas al hablar de la oración: **la devotio - lectio meditatio - oratio - contemplatio - actio.** Un reto apasionante para tu vida cristiana, un reto en el que necesitas empeñarte muy en serio. Si eres fiel en tu oración diaria, en tu encuentro a solas con Dios; si eres fiel en darle a Dios un tiempo largo de oración cada día, te asombrarás de los cambios que él irá realizando en tu vida; te maravillarás de cómo tu corazón va creciendo cada vez más en el amor, en la fe y en la esperanza; te asombrarás de que en tu interior vas encontrando la fuerza para vivir, la razón de tu existencia; te alegrarás de haber descubierto la raíz de tu vida, el manantial de tu existencia, el tesoro que llevas escondido en lo profundo de tu ser. No tengas miedo. Da cada día un tiempo largo de oración al Señor, pierde ese tiempo con él, no busques el que te pague a lo que tú le das; pero no olvides que cuando al Señor le damos uno, él nos devuelve ciento por uno. Es así. Experiméntalo.

Amigo, te invito a que ores en lo profundo de tu corazón, a que hagas encuentro de amor con Dios. Hazlo despacio, sereno, tranquilo. Pacifícate, céntrate en tu corazón y dile a Dios desde lo más profundo:

Oh Dios, tú eres mi Dios,
mi corazón se alegra en tu presencia.
Oh Dios, tú eres mi Padre,
mi corazón se goza en tu amor.
Engrandece mi corazón con tu Espíritu Santo,
llénalo con su presencia;
toca lo más hondo de mi ser con tu Espíritu de amor
y haz que lo sienta como la Raíz de mi vida,
como el fundamento donde me apoyo,
como el manantial de donde me viene la vida,
la libertad y la verdad.
Oh Dios, que tu Espíritu de amor
llene mi corazón con sus dones;
que derrame en lo más hondo su paz,
su pureza, su amor;
que empape, que inunde mi vida con su gracia
y su sabiduría
para que todo mi ser se alegre,
se esponje, se sienta feliz.
Oh Dios, tú que eres mi Padre,
descúbreme el rostro de tu Hijo,
tu Predilecto, para que yo me sienta
también hijo tuyo en el Hijo amado,
para que tú me mires
y veas en mí al hijo amado en el Hijo.
Oh Dios, te amo, te quiero, te deseo, te necesito.
Oh Dios, como el río que busca el mar
como la flor que tiende al sol...
así mi corazón te busca.
Sé tú, en este encuentro, mi paz y mi bien.

2. La oración
de recogimiento interior

Tú eres joven y me alegro con tu juventud. Estás en un momento de búsqueda muy importante. Para ti, amigo, la fraternidad, el grupo es clave. Y has disfrutado, no lo dudo, orando en comunidad, celebrando una Eucaristía. Es bella la oración comunitaria; pero quiero decirte ahora que la oración comunitaria, si no está alimentada por la oración personal, no tiene fuerza y se queda en la superficie. Por eso te invito a esta oración del corazón. Además, amigo, dentro de ti lo vas a encontrar todo; dentro de ti está ese mundo de libertad y bien que buscas. Lo llevas dentro; Dios te lo ha dado y lo ha guardado en tu corazón. La oración de interioridad te ayudará a hacer este descubrimiento maravilloso que te asombrará.

No tengas miedo, no dejes que la ansiedad te cerque cuando decidas orar desde tu interior. Porque puedes sentir como que es perder tiempo, como que lo importante es hacer, comprometerse con los demás.

No caigas en la trampa al oír eso de que "todo es oración". Sé claro en tu vida, sé verdadero y sincero; no te engañes nunca. Muchos jóvenes que tú conoces viven vacíos, sin sentido en su vida, corriendo de un lado a otro, manipulados por una masificación que destruye toda libertad. Tú, amigo, sé honesto, busca la vida en el centro de tu vida donde Dios te habita. Verás cómo surgirá en ti Dios con la fuerza de un manantial que salta hasta la vida eterna. Y luego, no te quedes con esa agua viva; dásela al que a tu lado tiene sed.

Ahora quiero ayudarte a que entiendas un poco lo de la oración de recogimiento. Porque no llegarás a entenderla en serio hasta que no la vivas, hasta que no la experimentes, hasta que no te comprometas con ella en serio. Con todo te diré que es una **ocupación interior.** Quiero decirte que es una dedicación, un ejercicio, un empeño sincero, un estar en lo que se está, un saber dejar otras cosas por esta cosa de la oración. Te exige una entrega, una ilusión, un saber centrarte y no andar disperso. Todo lo que te digo se da dentro de ti, en lo más íntimo tuyo, en el corazón. No tengas miedo. Entra en tu casa, en tu huerto y cultívalo.

Te diré aún más, es **una aplicación del alma de Dios.** La palabra clave es "aplicar". Yo la entiendo como entregarte a algo con pasión, con todos los sentidos, con todo tu ser. La entiendo, amigo, como el empeñarte en tocar, ver, sentir, oír, gustar, saber. Todo tu ser que se adhiere al de Dios. Todo tu corazón que busca empaparse, llenarse, impregnarse de Dios.

24

Todo tu ser que quiere mojarse, sumergirse, fusionarse, unirse a Dios. Aplicar el alma a Dios, amigo, es unirse a Dios en **unión de amor.**

Fíjate bien. La ocupación, la aplicación es **interior.** Y se hace en "el fondo del alma", es decir, "en la parte más secreta del corazón". La palabra "fondo" y "secreta" quiere decir que cuando ores tienes que poner tu mente y tu corazón en lo más profundo de ti mismo. Allí te habita Dios en su Espíritu de amor. Allí es donde las distracciones son menos, pues cuando oramos de manera superficial, todo nuestro ser se dispersa y no tiene capacidad de recogimiento, de concentración. Toca a Dios en lo más íntimo de ti y te estremecerás de alegría. Tócale con la fe, con el amor y todo tu ser saltará jubiloso. Y sorpréndete diciendo, como un loco, sin quererlo decir: *¡Dios, Dios, Dios!*

Es importante que tengas las ideas claras. Amamos la luz y rechazamos las tinieblas. En la oración interior el corazón se ocupa en **conocer** y **amar** a Dios. Es hermoso saber que a la oración vamos a conocer a Dios. Conocerle que supone verlo y amarlo. Conocerle que supone tener experiencia de él, vivirlo, hacerlo nuestro. Amarlo, que supone entregarle la vida, optar por él, hacerle como el valor más importante de nuestra existencia, hacerle como el Centro de nuestro ser. Amarlo, que supone haber descubierto que él me ama antes que yo a él, que él me ama de una manera gratuita, sencillamente porque él es bueno. Cuando a Dios se le conoce, se le ama, se apasiona uno por él.

Aún algo más. Lo más importante en la oración interior es *"llenarse de su Espíritu"* y *"unirse interiormente a Jesús"*. Este es el gran regalo que Dios hace al orante. Lo va llenando, lo va penetrando, lo va empapando de su Amor, de su Gracia, de su Espíritu. Y ese Espíritu de vida luego une el corazón a Jesús. Lo une de tal manera que tu vida se vuelve vida de Jesús, y la de Jesús, vida tuya. Todo lo tuyo es de Jesús y todo lo de Jesús es tuyo. Esta es la maravilla de la oración, cuando es profunda, cuando se hace desde lo hondo de nuestro ser. Aún más: no me digas que eso es para personas muy avanzadas en oración. No pongas disculpas ni des, paso atrás. Tú comienza, amigo, y entra dentro de ti. No quieras hacer otra cosa sino amar. El amor penetra todo. Hasta el mismo Dios. Tú ama, que el Señor hará el resto.

En la oración de recogimiento ocurre algo increíble. Si eres fiel en ella un día te darás cuenta de que tu corazón se vuelve más ágil, más libre, más puro y transparente, más pacífico y feliz. Alégrate entonces, pues estás teniendo una experiencia de "eternidad"; estás gustando anticipadamente del Reino de los cielos, pues en el cielo los santos viven llenos de Dios y unidos interiormente a Jesús, al Hijo. Orar, amigo, es como tener experiencia anticipada de la Vida eterna. Orar es una experiencia anticipada de lo que haremos en el Reino de los cielos: ver y amar a Dios.

Si de una manera sencilla y ordenada tuviera que resumir lo que te he dicho de esta oración de recogimiento interior, lo haría así:

Es un encuentro a solas con
Dios que tiene lugar por medio de:
una mirada de fe, sencilla y amorosa,
a la Presencia de Dios,
que habita en lo más profundo del corazón,
con el fin de estarse con él,
en simple atención de amor,
y así llegar a conocerle y amarle,
llenarse de su Espíritu
y unirse interiormente a Jesús, el Señor.
Esta oración se realiza
por medio de una ocupación interior,
de una aplicación del alma a Dios.
Esta oración se realiza con el apoyo
y ayuda de la Palabra de Dios,
ocupándose en ella
y aplicando el corazón a su mensaje.
En este encuentro, se llega a la experiencia de Dios,
y así se despierta en el alma
el deseo sincero de la Vida eterna.

3. Necesidad del recogimiento antes de la oración

Podías hacerme una pregunta bien seria: ¿por qué cuesta tanto concentrarse, estar atento, estar a lo que se está, durante el tiempo dedicado a la oración? ¿Qué hacer para superar distracciones? ¿Qué método hay para orar con profundidad? Quiero ser sincero contigo, amigo, y decirte que los problemas de oración no son tanto problemas de la hora de orar, sino problemas de la manera como uno vive. Cambia tu manera de vivir, y cambiará tu manera de orar. Es imposible querer recogerse interiormente a la hora de orar cuando durante el día se vive disperso, superficial, fuera de sí. Estar dentro de sí a la hora de orar, supone estar dentro de sí a lo largo del día. Y estar fuera de sí a la hora de hacer oración supone que se ha estado fuera de sí durante el día. Cambia tu estilo de vivir y verás cómo el recogimiento en la oración es fácil.

Si vives ocupado todo el día en cosas exteriores se hace imposible centrarse en las interiores. Si vives aplicado a lo exterior, no te quejes de que no puedes aplicarte a lo interior cuando deseas tener un tiempo largo de encuentro a solas con Dios. El problema está en que si vivimos según la carne, amigo, se nos escapa el espíritu. Si en tu vida lo que domina es el hombre viejo, no quieras en un ratito querer vivir según el hombre nuevo. Necesitas liberarte de muchas ataduras, de muchas amarras que hay en tu vida joven. Necesitas desacirte de todo aquello que te tiene ligado, prisionero de un pasado del que no estás satisfecho. Necesitas desprenderte de ese mundo de instintos, de tendencias a lo fácil y placentero, de pasiones desordenadas, y comenzar a vivir "prendido" de la vida nueva en Cristo Jesús. Necesitas ser libre en el Espíritu, para que él ore en tu oración en ayuda de tu debilidad.

Vivir en recogimiento durante el día quiere decir vivir el mundo de los valores y luchar por dejar atrás los contravalores. Significa vivir en armonía, en coherencia de vida entre lo que se piensa, se dice, se siente y se quiere. Supone vivir en la verdad y no engañarse. ser sincero consigo mismo y aceptar lo malo o menos bueno que haya en ti, para ir liberándote de ello. Supone dejar de lado esa vida dispersa, superficial, centrada en el tener, en el placer, en el parecer. No te engañes a ti mismo; sé hombre contigo mismo. Conócete para que llegues a poseer tu vida y la puedas entregar entera a Dios. Si te dejas arrastrar por la sociedad de consumo, por el dinero, por la vida de diversión, por las movidas... verás que se hace imposible la oración. Cuando te dejas llevar por lo que es de la carne, te vuelves despersonalizado, desunificado y no tienes fuerza para nada, pues dejas de ser tú. Intenta ser tú mismo.

Quiero ser más claro contigo. Porque si te decides en serio a ser orante, tienes que amar con pasión la verdad, la pureza y la transparencia de vida. Vamos a ello: cuando te dejas llevar por tu egoísmo y dices que no al servicio a los demás, estás viviendo fuera de ti; cuando dejas que la vanidad, que el protagonismo domine tu vida, entonces estás viviendo fuera de ti; cuando te golpea alguien y como respuesta golpeas también, estás viviendo fuera de ti; cuando excluyes a alguien de tu corazón y no te importa el que quede lejos, entonces estás viviendo fuera de ti; cuando lo que interesa es el comer bien, el descansar sin más, el pasar el rato porque sí y tu vida se va a lo fácil, entonces estás viviendo fuera de ti. Podíamos seguir, amigo, haciendo una lista interminable. ¿Por qué no la completas tú? Un estilo de vida así, no sabe de recogimiento, de vivir desde dentro.

Pero ahora te digo, amigo, que cuando eres profundo y te paras a pensar, a interiorizar tu vida, entonces estás viviendo desde dentro de ti; cuando amas y te olvidas de ti, aunque te cueste, entonces estás viviendo desde dentro de ti; cuando dices no a tu orgullo y aceptas una humillación, entonces estás viviendo desde dentro de ti; cuando te cansas y te dan ganas de dejar de seguir luchando por el bien, pero a pesar de ello sigues con fidelidad adelante, entonces estás viviendo desde dentro de ti; cuando te das cuenta de que gastas en TV, tiempos y tiempos sin más y reaccionas apagando el televisor y entregándote a algo serio y de provecho, entonces estás viviendo desde dentro de ti. Te digo lo mismo. Sigue tú con la lista. Aprende a decir no a aquello que te hace superficial y disperso, a aquello que te quita energías interiores a aquello que no va de acuerdo con el Evangelio de Jesús. El mismo dice que quien pierde su vida la encontrará; y el que guarda su vida para sí la perderá. ¿Perder o ganar la vida?

Ahora quiero dejarte aquí un reto, un desafío en ese empeño por hacerte un joven con interioridad. El reto es que llegues a descubrir en tu vida, desde la experiencia, las palabras **soledad y silencio.** Son el camino más seguro para llegar a ser hombre interior y poder orar. La soledad es imprescindible para aprender a recogerse. Dice Oseas: *"Le llevaré al desierto* (soledad) *y le hablaré al corazón".* No tengas miedo en quedarte solo, en buscar un lugar recogido, sin ruidos, libre de cosas. No tengas miedo a entrar en él y dedicarte en ese ambiente a pensar, a estar tú solo contigo mismo, a leer un libro que te ayude a interiorizar tu vida, a quedarte en esa soledad con la Biblia en la mano, a orar, a estar sin más, tú solo. Te digo que la experiencia de la soledad es el camino para encontrarse uno consigo mismo y conocerse. Es entonces cuando surgen de lo profundo del corazón lo más verdadero y auténtico tuyo; cuando estás solo y te escuchas, te miras dentro, verás que no te conoces, que lo que tú eres está casi por estrenar. No tengas miedo a enfrentarte con el hombre que llevas dentro. Desde la verdad de tu corazón la oración será sincera.

Cuanto más frecuentes esa soledad, cada día, en la noche o los fines de semana en un tiempo más largo, verás cómo te vas encontrando a ti mismo, te vas identificando contigo mismo, te vas conociendo y asumiendo tu existencia, tu historia personal. Pero aún más: de la soledad surge el silencio. En la soledad el hombre aprende a escuchar, a estar dentro, a orientarse en una dirección, a estar presente en lo que está, a estar como centinela, como alguien y no como algo. El silencio es esa capacidad que tenemos para ponernos en dirección de alguien y escucharle. La oración es eso: ponerse en dirección a Dios y abrir los ojos y los oídos del corazón a su presencia. A la oración no vamos tanto a hablar, sino a escuchar a Dios para descubrir lo que él quiere de nosotros, para descubrir su voluntad. Cuanto más silencioso te hagas desde el corazón, menos dispersión, menos dependencias tendrás en tu vida. El silencio es la base para entrar en lo profundo de uno mismo y acercarse a un Dios vivo que se ha hecho Silencio. Cuantas menos palabras más profundidad en el encuentro; cuantas más palabras, menos intensidad en la relación.

Amigo, éste es un método largo, pero apasionante, pues va a lo profundo. Cuando aprendas a vivir desde la soledad, verás que todo se vuelve más cercano y presente; cuando aprendas a callar, a silenciar tu vida, a integrarla, a armonizarla, Dios se manifestará en ti con más fuerza, porque la soledad y el silencio nos hacen quedarnos con lo esencial. Amigo, aprende a vivir centrado en ti, centrado en lo profundo de tu corazón, centrado en Dios que mora en tu intimidad y verás cómo la vida tiene otro sentido, cómo la vida tiene la fuerza de estar enraizada en el Centro: Dios. En Dios es cuando vivimos. En Dios es cuando somos. En Dios es cuando somos felices y nos sentimos seguros, firmes, con sentido.

Quiero terminar animándote a que en tu vida haya coherencia, a que no haya cortes, a que seas siempre el mismo. Quiero animarte, amigo, a que descubras esa otra dimensión de la vida: la del corazón. Quiero que te sientas libre, que te sientas bien contigo mismo, que aproveches todas esas energías que Dios te ha dado en su amor y que tal vez están en ti como semillas sin cultivar. Intenta, y florecerán; y no te quedes con las flores. Regálalas.

Señor Jesús, aquí estoy contigo y sin estar conmigo.
Siento que vivo desde fuera
y que la vida aún no la he tocado en lo profundo.
Te quiero tocar y te escapas,
porque te busco por fuera, en las cosas.
Intuyo el camino para llegar a ti, pero me da miedo.
Siento que lo voy a perder todo y quedarme sin nada.
Me da vergüenza verme desnudo,
despojado de mis máscaras, sin caretas.
Me siento indefenso, desprotegido,
cobarde al situarme ante ti como soy.
Señor Jesús, ayúdame a enfrentarme conmigo mismo,
a descubrir mi realidad;
ayúdame a ver las mezquindades de mi corazón
y los juegos sucios de mi vida.

33

Dame valentía para aceptarme así, como soy, sin tapujos;
dame la fuerza de sentirme barro, arcilla, nada.
Anímame a que no me quede con mi pobreza,
con mi pecado,
sino que lo ponga en tus manos de alfarero,
para que tú realices la obra que el Padre soñó para mí.
Dame valentía para entrar
en la soledad y abrirme a lo verdadero;
dame valentía para cortar amarras,
desatar nudos, reventar argollas.
Dame valentía para callarme, para no ser palabrero,
para escucharte.
Dame sencillez de corazón,
pureza y luz interior, para abrir los ojos a ti.
Señor Jesús, me quedo contigo;
enséñame a estarme conmigo;
me quedo contigo
para que mi vida la vayas cambiando según la tuya.
Aquí estoy y sencillamente te digo que te quiero.

4. Los tres encuentros en la oración

El amor simplifica las cosas. Y tú sabes, amigo, cómo a medida que crecemos, que maduramos, nos vamos quedando con lo esencial. Muy pocas cosas son esenciales en la vida. Yo diría que tú eres esencial en tu vida. Tú, con tu historia personal. Tú, con tus grandezas y miserias. Tú, con tus ganas de vivir, de buscar sentido profundo a tu existencia. Esencial en la vida del hombre es Dios. Y un corazón limpio, verdadero, puro, lo va a buscar siempre. Dios, como el Centro de tu vida. Dios, como la respuesta última a tus preguntas. Dios, como el destino de tu caminar. Por fin el amor a los hombres, el servicio y la solidaridad, la comprensión y la ayuda, el respeto y la compasión. El amor es lo único que nos quedará en el encuentro definitivo con Dios. Estos tres encuentros: contigo mismo, con Dios y los hombres, son decisivos en la vida de oración.

Al orar, comienza siempre haciendo encuentro contigo mismo. Céntrate en ti mismo. Descúbrete, interiorízate, amigo, para que tu oración sea sincera y brote de lo profundo de ti mismo, de tu corazón. Vete a la oración tú mismo y lleva contigo tu vida; tu vida real, auténtica. No te imagines en la oración otra vida diferente a la que sientes. Tu oración será agradable a Dios si tu grandeza y miseria se levanta hecha oración a Dios. Sé tú al orar. Con todos los estados de ánimo que aparezcan en tu vida. No hagas un corte con la vida en los momentos de oración. Intenta dar respuesta a tus problemas poniendo tu vida en las manos de Dios. Si consigues encontrarte a ti mismo encontrarás a Dios. Si huyes de ti mismo, huirás de Dios.

Te quiero decir algo más, a ti, amigo, que eres joven. Tal vez tú mismo o algún compañero en algún momento ha prescindido de Dios en su vida. Tal vez Dios no le ha interesado en algún momento difícil de la vida. Me atrevo a decir que el problema de Dios es el problema del hombre. Me atrevo a decir que cuando Dios no nos dice nada es porque nosotros no nos decimos nada a nosotros mismos. Me atrevo a decir que cuando se pierde la identidad propia, se pierde la de Dios. No; no eches las culpas a nadie. Si no crees, es porque has dejado de creer en ti. Intenta llegar al fondo de tu existencia, a la raíz de tus problemas, a la pureza de tus acciones, y verás cómo en el fondo de ti mismo está Dios. Al encontrarte en serio contigo mismo te vas a asombrar: te encontrarás con Dios. Porque Dios es más tú, que tú mismo.

Al comenzar tu encuentro de oración comienza por centrarte en ti. Verás cómo en seguida haces "presencia de Dios". Dios se hace presente y entonces, entre tú y Dios, aparece el encuentro y surge el diálogo, con más o menos palabras. La presencia de Dios en la oración denota que tú estás presente en ella. Cuando te pierdes a ti, pierdes a Dios en la oración. Quiero ayudarte a hacer presencia de Dios al comenzar tus encuentros de oración. Una manera es mirando a tu corazón donde Dios habita por la fe; donde Dios está por ser bautizado. Mírate dentro y lo encontrarás vivo en ti. Otra manera será considerar a Dios presente en la creación. Abre los ojos a la naturaleza, a la vida, y verás sus huellas. Pon tus manos y tus pies en sus huellas de amor y bien, y sentirás su paz, su gozo. Otra manera será considerando a Dios presente en la comunidad. El está donde se reúnen dos o más en su nombre. Abrete a Dios con nosotros. Y por fin, una cuarta manera de ponerse en la presencia de Dios es la iglesia o capilla. Mírale escondido en el sagrario. Y desde el silencio y la fe sitúate ante él y siéntete a gusto con él. O bien ante el Santísimo expuesto. Contempla asombrado su presencia y hazte con él. Apenas he apuntado estas maneras de ponerse en la presencia de Dios. Volveremos despacio sobre ellas.

Otro encuentro en la oración es el encuentro con Dios por medio de Jesús. Jesús es el Centro oracional. Es el mediador entre Dios y los hombres. Es el único que ha estado en el seno del Padre y que conoce el camino hacia el Padre. Es el único acceso que abre la puerta de Dios. Es el núcleo de la oración. Y en este encuentro debes gastar la mayor parte de tu tiempo. Amigo, en este método yo te indico un camino único, maravilloso para llegar a Dios en Jesús. Es el de la Palabra de Dios. Jesús mismo es Palabra de Dios, Revelación, manifestación de Dios. La Palabra será el cayado y la vara que te acompañen en ese caminar hacia Dios. Por eso, acostúmbrate a orar con la Palabra de Dios de la liturgia de cada día y verás cómo el rostro de Dios en Jesús se te irá haciendo cercano, transparente, familiar. Ora el Evangelio, bien sea fijándote en la persona de Jesús: en sus misterios, en sus palabras o en sus hechos. Verás que es bello orar a Jesús, orar con la Palabra, orar en el lugar privilegiado donde Dios se manifiesta: la Palabra de Vida. Volveremos despacio sobre ella.

Por fin, el tercer encuentro en la oración es el encuentro con los hombres, con los hermanos, a donde lleva la experiencia de Dios-Amor. Cuando sales del momento oracional no cortas con él; llevas en tu corazón la presencia viva de Jesús, esa presencia que durante el día recordarás con frecuencia, esa presencia que te moverá a hacer la voluntad de Dios para contigo durante todo el día. El encuentro con los hombres es el fruto del encuentro contigo mismo y con Dios. Tu condición de barro descubierta en la oración te enseñará a tratar a los demás con respeto profundo; tu condición de hijo de Dios descubierta en el encuentro te llevará a tratar a los hombres con cariño, pues también son hijos de Dios, tus hermanos. Y no lo olvides,

al salir a lo de cada día, da gracias a Dios y déjate a-
compañar por María, la Madre de Jesús. Será durante
el día tu guía y madre.

Así de sencillo, amigo. No compliques las cosas.
Así de sencillo: comienza por hacer **encuentro contigo mismo.** En ese encuentro profundo: **haz presencia de Dios.** Después: Céntrate en el Centro, es decir,
encuentrate con Dios en Jesús. Y para ello y como
medio muy eficaz: **ora con la Palabra de Dios.** Por
fin: vete a tus cosas, baja de la montaña, lleva la estrella a la vida para **hacer encuentro con los hermanos.** Y no olvides, en ese encuentro: **llévales a Jesús
en tu corazón.** Tu vida será feliz, tu vida será un anticipo del Reino de los cielos. Tú, el Señor, los hombres, son tres realidades que es preciso que las vivas
desde el encuentro. No pases más de ti; no pases más
de Dios; no pases más de los hombres. Sinceramente:
encuéntrate.

> *¿Será posible, Señor, que haya vivido*
> *desconectado de todo?*
> *Me creía libre,*
> *y era la persona más sin libertad que conozco.*
> *¿Acaso se puede, Señor, ser libre*
> *sin encontrarse contigo?*
> *¿Acaso, Señor, puedo ser libre*
> *sin encontrarme conmigo mismo?*
> *¿Acaso, Señor, puedo ser yo mismo,*
> *sin interesarme los otros?*
> *Gracias, Señor, por haber puesto mi vida*

en un camino de encrucijadas;
mi vida que se cruza con la tuya,
mi vida que se cruza con la de los hombres.
Señor, estoy cansado de caminar solo,
de vivir en vías paralelas.
Estoy cansado de quedarme con las cosas,
que siempre son frías y distantes.
Estoy cansado de vivir sin conocerme,
sin identidad, sin poseerme. Gracias, Señor;
quiero tener mi vida en mis manos
para ponerla en las tuyas;
quiero darme a los hombres, pero desde ti,
porque quien está unido a ti da mucho fruto.
¡Quiero ser fecundo, quiero dar fruto abundante!
Señor Jesús, pon en mi corazón, como semilla,
tu Palabra, tu Evangelio,
y haz que dé fruto de cien por uno
para que los hombres crean
y alaben y glorifiquen al Padre
que está en los cielos. Señor Jesús,
dame un corazón sencillo
y puro para que mis ojos,
desde lo profundo de mi ser,
te vean a ti y se alegren con tu presencia.
¿Será posible, Señor,
vivir fuera de estos "encuentros"?

5. En el encuentro
pon tu mente y corazón en Dios

Alguien ha dicho que orar es pensar en Dios con amor. O sencillamente estarse con él amándole, o mirar que me mira. Sea como fuere, amigo, lo cierto es que, al orar, quien ora es la persona integralmente. No oramos con los labios; ni con nuestro pensamiento. Oramos haciendo unidad de nuestro ser. Y la persona es alguien que piensa, alguien que siente, alguien que ama, decide, busca. Yo quiero ahora, amigo, ayudarte a encontrar respuesta a esa pregunta tuya: ¿cómo orar? ¿Qué tengo que hacer al orar con esta oración de recogimiento interior? ¿Cómo sé yo que realmente mi oración es verdadera? Preguntas que haces bien en ponerlas con sinceridad; respuesta a ellas que no es fácil de dar.

Yo te diría de una manera sencilla que cuando ores "pongas tu mente y tu corazón en Dios"; que cuando ores "veas" desde la fe a Dios y le "ames" también desde la fe. En la base de la oración está la fe que es esa búsqueda, ese impulso de amor de tu corazón a Dios, ese abandonarte a su amor, ese confiar en su bondad, ese esperar en su misericordia, esa comunión y comunicación de vida con él. La fe es esa cercanía a Dios en Jesús, movido por su Espíritu. La fe es un don de Dios, una gracia que viene de lo alto. La fe es ese hacer de Dios el valor primero y esencial de tu vida, ese vivir la vida desde el Centro de la vida: Dios. Es tan fuerte la fe que el hombre que la ha recibido de Dios y la cultiva en su corazón es inquebrantable, es capaz de hacer de los imposibles, posibles. Pídele a Dios el don de la fe.

Movido por la fe te acercas al encuentro de Dios en la oración. Y te quedas con él a solas porque crees en él, porque le amas. Ahora se trata, amigo, de expresar tu fe en el encuentro de oración. Por eso el hombre de fe pone su mirada más en Dios que en sí mismo; pone sus ojos más en el amor de Dios que en su pecado; pone el corazón más en Dios que en los problemas de la vida. El hombre de fe cuenta siempre con Dios; por eso, cada día, acude a él y le toma en serio. Pero no es fácil, amigo, poner la mente en Dios, ver el rostro de Dios desde la noche de la fe. Porque se trata de ver sin ver; de amar, sin sentir. Se trata de ser fiel como si realmente vieras al Invisible. Todo esto se va aclarando en la oración. Pero no olvides nunca que la fe, que es la adhesión a Jesús y su mensaje, no se comprende, sino que se acepta. La fe asume el estilo de vida de Jesús, llegando el hombre a pensar como Jesús pensaba y a amar como Jesús amaba. La fe es la aceptación de Dios en Jesús como la respuesta y el sentido a tu vida.

Se trata de que al orar pongas la **mente** en Dios con amor. Poner la mente es centrar mi atención en Dios que habita dentro de mí; es mirar a Dios que está en el fondo de mi alma; es estar despierto ante Dios y tomar conciencia de que él está vivo en mí; es tener la certeza de que pase lo que pase, tenga razones para creer o no, él está en mi vida y me ama y se preocupa de mí, y me toma en serio. Al poner los ojos de la fe en Dios, eso es "poner la mente en Dios", ten claro, amigo, que te encuentras con Alguien y no con algo, que en ti existe una presencia que es real, auténtica, verdadera, única: la presencia del Señor Resucitado que vive en ti por la fuerza del Espíritu. Al "ver" con tu mente, con los ojos de la fe esta presencia salvadora, alégrate, gózate, exulta de alegría y siéntete poseído por Dios que ha hecho de ti una morada, un lugar de reposo donde se encuentra complacido. Mira hacia dentro, cierra los ojos, y ve sin ver. Ten fe.

No dudo, amigo, que a veces querrás ver a Dios en tu vida y no lo conseguirás. Tal vez el pecado, el estilo de vida que lleves es una negra nube que no te deja ver a Dios. O tal vez tu vida dispersa, habituado a pensar en cualquier cosa admitiendo todo tipo de pensamientos, no te dejan centrarte en Dios. Ten paciencia; comienza un ejercicio largo de ir habituando tu mente a estar atenta a Dios, a su presencia en tu vida. O tal vez los recuerdos de tu memoria te hagan vivir más en el pasado que el presente; o las heridas del pasado no estén sanadas. Trata de orarlas, de sanarlas con el amor de Dios y confíalas en su misericordia. Tal vez tu imaginación y fantasía son tan fuertes que no te dejan dominar, centrar tus pensamientos. Comienza a dominar tu imaginación, a seleccionar tus pensamientos, a liberarte de recuerdos desagradables. Pon orden en tu mente para que a la hora de querer orar se sienta libre, pacificada, limpia, y pueda centrarse en Dios.

Yo te sugiero un método, que te asombrarás con el tiempo, para que tu mente se limpie y sea libre. Te sugiero que hagas de la Biblia, la Palabra de Dios, el Libro constante de tu vida, y que "toques" constantemente tu mente con la Palabra de Dios. La Palabra de Dios, el Evangelio te "purificará", te limpiará la mente. Con el tiempo verás que terminarás pensando con el mensaje de la Palabra de Dios. A la hora de orar esa Palabra de Dios metida en la mente, de tu corazón saldrá, vendrá en ayuda tuya y tendrá más fuerza que tus pensamientos superfluos o tu imaginación alocada, o tus recuerdos desagradables. También te sugiero que seas una persona que, diariamente, haga su lectura espiritual, con buenos libros que te ayuden a encontrar el camino del espíritu, el camino hacia Dios. Fórmate y te sentirás más libre. Lleva la verdad a tu mente y verás cómo ella te hará libre.

Si en el momento del encuentro con Dios te distraes, se te va la presencia de Dios. Si dejas de verle en fe, pierdes el contacto con él. Si no estás centrado en él, y no le tienes presente, tú mismo te quedas ausente en la oración. No te desanimes en la oración por tus distracciones. No te acobardes por tus deseos de estar atento a Dios y sentir tu impotencia. No luches contra las distracciones; es imposible vencerlas. Y Dios no nos pide imposibles. En esos momentos agárrate a la Palabra de Dios, a una frase corta del Evangelio o de un Salmo y repítela despacio, muchas veces, verás como ella es camino de luz hacia Dios. La Palabra de Dios te hará ver el rostro de Dios. La Palabra de Dios es la revelación de Dios. Prueba sin miedo, amigo.

En la oración, "pon tu corazón en Dios". Tu corazón que es lo más tuyo, lo más profundo tuyo, lo más íntimo, aquello donde realmente eres tú. Pon alma, vida en la oración. Y entrégate al amor. Aún más: ejercítate en el amor. Dile a Dios que le amas, que le quieres, que estás a gusto con él, que no te importa perder el tiempo en su compañía. A la oración, amigo, vas como un enamorado: a amar. Quien más ama, más tiempo permanece en la oración. Porque la oración es un encuentro de enamorados: Dios y tú, en un mano a mano, a solas. En el encuentro ámale; en el encuentro aprieta tu vida contra él; en el encuentro tócale, gústale, mírale, siéntele, pálpale, escúchale. En el encuentro cree que él te ama, que te quiere más que tú a él y ten la certeza de que estás con él, porque en su Amor él te ha llevado, él te ha conducido a él. No olvides que Dios tiene puesto su corazón en ti y que te ama hasta el extremo de haber dado su vida, en Jesús crucificado, por ti. Permanece en el amor.

Cuando salgas del encuentro de oración no pienses tanto en lo que has hecho, sino en lo que has amado. A Dios lo llevarás contigo y le verás en la fe, según el amor que hayas ejercitado con él. Te puede pasar que el tiempo dedicado al encuentro lo llevó el viento en mil distracciones. Y tú realmente querías amar: fíjate en tu corazón, que eres capaz de darte cuenta de que estuviste muy unido a Jesús en el interior, a pesar de la colmena que revoloteaba en tu cabeza. Lo importante en la oración no es lo que pasa en la cabeza, sino en el corazón. Pero mente (ver) y corazón (amar) se necesitan y van juntos. Porque quien ora es el hombre integrado, unificado. Mira a quien amas y ama a quien miras. Mira quién te mira y déjate amar en su mirada, porque, para Dios, mirar es amar, y amar es mirar.

Te invito a que ores con este texto maravilloso del Deuteronomio 6, 4-9. Dile a Dios con paz y gozo, dentro de ti:

Dios mío, yo te amo con todo mi corazón,
con todo mi afán de abrir mi vida a tu Palabra
y acogerla como buena semilla que florezca.
Que tu Palabra germine en mi corazón,
y se manifieste en ella tu voluntad, tu plan,
tu proyecto para mi vida.
Que yo lo asuma, lo haga mío, lo acepte con gozo.
Dios mío, yo te amo con toda mi alma,
te amo con toda mi vida, con todo mi caudal de
energías. Toma mis cualidades, ilusiones, utopías,
y oriéntalas por el camino de la Vida.
¡Hazme vivir, Dios vivo! Dios mío,
te amo con todas mis fuerzas,
con esa pobreza de mi vida,
con esa debilidad y nada que soy.
Y que en mi pobreza seas tú mi riqueza,
y que tu gracia actúe en mí cuando soy débil.
Toma mi nada y llénala de ti, que eres el Todo.
Dios mío, te amo con pasión sobre todas las cosas.
Te quiero a ti como lo más mío,
lo más íntimo, lo más entrañable.
Enséñame, Señor Dios,
a serte fiel en el amor, a permanecer en tu amor.
A pesar de todo, Dios mío, te amo.

6. Maneras de hacer diálogo con Dios en ese encuentro

Lo importante en la **oración** es que haya **diálogo** entre Dios y el Orante. Y el diálogo exige dos presencias: la de un tú (Dios) y la de un yo (el hombre). Cuanto más profundo sea el encuentro, menos palabras en el diálogo; cuanto menos profundo sea el encuentro, más palabras en el diálogo. Jesús dice, amigo, que cuando oremos que no seamos "palabreros", porque el Padre ya sabe lo que hay en el fondo de nuestro corazón y lo que necesitamos. Pero tenemos miedo a callar, a hacer silencio, a escuchar, a estar sencillamente. Y a la oración no vamos tanto a hablarle a Dios, sino a escucharle. Con todo, ten paciencia contigo mismo, y vete caminando poco a poco hasta que llegues al silencio interior. Es un camino largo y doloroso.

Quiero hablarte de tres maneras de hacer diálogo con Dios. Una de ellas es *"por medio de numerosas reflexiones"*. Otra, *"por medio de reflexiones cortas con-*

tinuadas por largo tiempo". Y la tercera es *"por simple atención"*. Las tres nos ayudan a orar, a mantenernos en la presencia de Dios. Las tres están a nuestro alcance para que las usemos conforme las necesitemos. No olvides, amigo, que no hay una manera única, un método único de hacer encuentro con Dios. La misma experiencia te enseñará qué camino seguir conforme la situación que vivas. Con todo, no olvides nunca que, pase lo que pase, tengas ganas de orar o no las tengas, te resulte bien o no te resulte la oración, tú, amigo, **nunca dejes** de tener ese encuentro diario. Nunca le dejes al Señor, que te ama, "plantado", esperándote porque hoy no llegas. No hay nada que te impida hacer ese encuentro sino la caridad y la obediencia; pero cuando ocurran esas dos circunstancias, vuelve a la oración después de haber cumplido con la voluntad de Dios.

La primera manera de hacer diálogo con Dios es por medio de **numerosas reflexiones.** No se trata de un monólogo. Se trata de ir poco a poco entrando en la oración. Al principio sentirás ganas de hablar tú mucho, de reflexionar, de decirlo tú todo. Yo te digo que te tranquilices, que hables hasta que el hablar mucho, o el pensar mucho ya no te diga gran cosa y te des cuenta que el asunto de la oración está en "amar mucho". Las numerosas reflexiones te ayudarán a aclararte, acercarte a Dios, a motivarte, a buscar razones, a convencerte de algo, a asentar ideas. Sólo te digo una cosa, amigo, que esas reflexiones largas no te quiten la vista de Dios, que las hagas "hablándole" y no solamente "pensando". Díselas, con la mente o los labios al Señor. Y ten seguridad de que le estás hablando y de que él te escucha, aunque no le dejes hablar. No se trata de "pensar ante el Señor" las cosas, sino de "decírselas al Señor". El mismo Señor te dará respuesta, te hablará despertando en ti algún sentimiento bueno, noble, te hablará en esos momentos que te quedes en silencio, aunque sean cortos, como convencido de algo, con deseos de superarte. Esa es la respuesta del Señor a tu "reflexión larga", pero hablándole a El. No olvides nunca esto, amigo. Ahora quiero proponerte un ejercicio que apoye este tipo de oración. Lo vamos a hacer con el tema de la oración.

Aquí estoy contigo, Señor Jesús.
Contigo, porque te quiero.
No sé lo que en realidad quiero
al estar en este encuentro.
Vengo a orar, a estar a solas contigo,
porque tú lo dices;
porque me lo dicen por todas partes.
¿Qué será la oración, Señor?
Me gusta más el hacer,
el comprometerme con la gente, el ayudarla;
pero me dicen que si no estoy unido a ti,
lo que hago vale poco.
Me dicen, Señor, que la oración es esa fuente
de energía para alimentar mi vida
y luego desbordarla en los demás.
Quisiera entenderlo; quisiera, Señor,
estar convencido de que es así.
Te he visto en el Evangelio orando

49

muchas veces, ya sea al amanecer o en
la noche.
Te he visto en los momentos claves de tu vida
orar con fuerza, ir al encuentro de tu Padre
y hasta gritarle tu dolor.
Señor Jesús, enséñame a orar:
tú eres el único Maestro.
Mira que no sé cómo orar, que me canso
enseguida de estar contigo a solas.
Tú, Jesús amigo, que has dicho que quien pide recibe,
que quien busca, encuentra;
que quien llama termina con la puerta abierta.
Tú, Señor Jesús, despierta en mi corazón
el deseo de orar.
Orar para que mi fe crezca;
orar para que tu presencia en mí se haga viva;
orar para que tome conciencia
de que soy hijo de Dios y de que él es mi Padre;
orar para que descubra todo lo bello y bueno
que tu Padre ha puesto dentro de mí.
Señor Jesús, Tú que nos enseñaste
a llamar a Dios Padre nuestro,
que nos enseñaste a pedirle tu Reino
y que se haga su voluntad;
tú que nos diste confianza
para que le pidiésemos el pan de cada día
y que perdonásemos
para ser perdonados;
tú que nos enseñaste a pedir a Dios para no caer en tentación,
enséñame a encontrarme con el Padre por medio de ti,
único Mediador, bajo la moción del Espíritu.
Señor Jesús, convénceme de que tú me quieres orante.

La segunda manera de hacer diálogo con Dios es por medio de **cortas reflexiones** por largo tiempo continuadas. Es sencillo, amigo. Se trata de que te agarres a una frase sagrada, a la Palabra de Dios. Una frase del Evangelio o de un Salmo que sea corta, que sea clara, que la puedas decir de memoria, aun con los ojos cerrados. Tomas esa frase, la memorizas con alma y la repites una, dos, varias veces. Vas pensando con amor en lo que dice, pero sin hacer mucho esfuerzo en entenderla. Se trata más de ir dejando caer en el corazón esa Palabra de Vida para que le vaya empapando, para que le vaya despertando a Dios. Conviene que escojas varias frases que vayan en la misma línea. Por ejemplo, yo te voy a facilitar la experiencia con el tema de buscar en Dios "fuerza, apoyo". Lo voy a hacer con tres Salmos. De ellos busco las frases sagradas que más me ayudan. Digo el "mantra" o frase sagrada despacio y me callo. Lo vuelvo a decir y me callo, y así varias veces.

Lo hago con el Salmo 26. Digo así:

El Señor es mi luz y mi salvación
(lo repito despacio varias veces).
El Señor es la defensa de mi vida
(hago lo mismo).
¿A quién temeré?
El me protegerá en su tienda,
me esconderá en lo escondido de su morada.
(lo repito varias veces).
Espera en el Señor, sé valiente,
ten ánimo, espera en el Señor.
(repítelo despacio).

Ahora lo hago con el Salmo 22. Digo y hago lo mismo:

> *El Señor es mi Pastor, nada me falta.*
> *El repara mis fuerzas.*
> *Aunque camine por cañadas oscuras, nada temo,*
> *porque tú vas conmigo;*
> *tu vara y tu cayado me sosiegan.*

Sigo con este otro Salmo 83, del que escojo unos versos y hago lo mismo:

> *Dichosos los que encuentran en ti su fuerza*
> *al preparar su peregrinación.*
> *El Señor es sol y escudo,*
> *él da la gloria y la gracia.*
> *Señor Dios, dichoso el hombre que confía en ti.*

Por fin, la tercera manera es más profunda, es más entrañable, es más honda. Se trata de estar en ese encuentro con Dios a solas, haciendo diálogo con él, por **"simple atención"**. Aquí sobran las palabras. Aquí lo que cuenta es el silencio. Aquí se da un encuentro de unión, donde ya no importa lo que se diga, sino lo que somos en unión de amor, Dios y yo. Se trata de poner los ojos de la fe, en silencio, en Dios. Se trata de poner el corazón con amor en Dios. Y estarse gozándose en ese amor de encuentro. Se trata de olvidarse uno de sí mismo y llegar a la experiencia de que lo que cuenta es **Dios**. Me olvido de mí y aparece el **tú**. Me quedo ante él como maravillado, como admirado, asombrado. Me quedo ante él esperando que se manifieste. Y esto lo hago con algo muy profundo, con un **sentimiento interior.** Yo sé que Dios está en mí y le miro, le amo y me quedo así. Me distraigo y vuelvo otra vez a mirarle, a estarme con él. La fe y el amor, acompañados de la esperanza, aguantan esta experiencia.

Por ejemplo, sitúate ante Dios que habita en tu corazón; en el cosmos o en el sagrario:

> *Cierra los ojos y experiméntalo dentro de ti,*
> *sin decir nada (permanece, aguanta largo tiempo).*
> *Abre los ojos ante un bello paisaje y cállate.*
> *Mira en silencio. No digas nada.*
> *Deja a Dios ser Dios.*
> *Puedes ponerte ante el sagrario,*
> *en el silencio de la capilla, y estarte largo tiempo,*
> *mirándole desde la fe, estando a gusto con Jesús,*
> *que se ha quedado con nosotros.*

Amigo, lo importante en la oración es que hagas *"encuentro de amor"* con Dios. Lo importante es que hagas por estar con él y salgas con la experiencia de que él ha estado contigo. A esto te ayudará "el diálogo". Con más palabras, con menos palabras o sin palabras, con un sentimiento interior. No lo olvides: *Dios se manifiesta al que le busca con amor y constancia.*

7. Detalles que ayudan a crear clima de encuentro verdadero

He insistido mucho, amigo, en que la oración es un "encuentro". Con una particularidad: "a solas con Dios". El llena ese encuentro. El da sentido a ese encuentro. El es el primero en llegar a ese encuentro. Así lo entendió Jesús de Nazaret. Y así vivió su "experiencia de Dios". Jesús es el hombre religioso, el creyente profundo que busca el estar a solas con su Padre Dios. Busca la soledad del monte y se mete en la espesura de la montaña. Se adentra en el silencio de la noche y ora, corazón abierto, de cara al Dios de su vida. Jesús busca, al alba, el descampado. Y se levanta temprano, cuando aún brillan las estrellas. Y el sol naciente le sorprende, rostro en tierra, hundido en el amor de Dios. Y el sol lo ilumina y le pone en pie para que vaya camino de los hermanos. Jesús es constante a la cita. Y a la hora, Jesús es como un enamorado: goza en el encuentro con su Dios.

El amor es detallista. Y pone su alma en las pequeñas cosas. Es en lo pequeño donde se manifiesta la grandeza del amor. Por eso, amigo, aprende a expresar tu amor a Dios en los encuentros de amistad que tengas con él. En esos encuentros en el fondo de tu corazón, en la parte más secreta de ti mismo. Aprende a conocer y a amar a Dios y déjate llenar de su Espíritu y que Jesús se una a ti interiormente. Serás feliz; más feliz que un niño en el regazo de su madre; más feliz que un enamorado mirando los ojos de su amor. Por eso te digo que busques un tiempo, una **hora** para orar a solas. Una hora en que te vaya bien. ¿Será de madrugada? ¿Será al anochecer? Tú sabrás cuál es el mejor tiempo, dentro de tu trabajo, para dedicárselo al Señor. Y sé fiel a este tiempo. Sé fiel y no falles a la cita. Pase lo que pase, tengas ganas o no, estés con mucho trabajo o poco. Di a tu corazón: ¡Es la hora!

Y busca también un **lugar**. Un rinconcito donde te encuentres bien. Un lugar escondido, tranquilo, acogedor. Un lugar que será el espacio para la cita. ¿Será tu habitación? ¿Será la capilla? ¿Será una iglesia? ¿Será la naturaleza? Busca un sitio y sé fiel a ese lugar de los dos. Cuida la tonalidad de la **luz.** Mucha luz no te deja interiorizar, profundizar. La penumbra te ayuda a hacer camino al interior. O la **luz** te ayudará a alegrarte o a alabar y exultar en el Señor. También una música suave ambiental te puede ayudar a concentrarte, relajarte. Una **música** sólo instrumental, sin letra. Serénate y verás cómo el Espíritu de Jesús surge en tu corazón y te hace conectar con otra música. Sé sensible a Dios.

Cuida en el encuentro la **postura**. Busca tu postura oracional. Tal vez sentado sea la mejor. Con una silla de mediana altura. Siéntate bien, pero derecho, no dejes el cuerpo encorvado en la oración. Pon tus **manos** como mejor te sientas. Tal vez con las palmas sobre el muslo; tal vez juntas, descansando sobre el muslo boca arriba, como alguien que se abre al Don. Si eres capaz de soportar con paz la postura de sentado en el suelo, hazlo. Ayúdate de un cojín. Apoya la espalda contra la pared. Pero no gastes las energías en la postura. O sírvete de una banquita y arrodillado, apóyate en ella; es la postura carmelitana. Cierra los **ojos** si te ayuda a concentrarte. Si no, déjalos abiertos mirando en algún sitio que te centre. Procura crear una **respiración** tranquila, pacífica, acompasada, pero no te preocupes con ella. Sé tú entero quien ore.

Aprende a orar con la Palabra de Dios, con la Biblia entre tus manos. Te ayudará a centrarte. Haz de la **Biblia** presencia de Dios, manifestación de su rostro, revelación constante. Lee despacio el texto. Escúchalo desde el corazón. Proclámalo a tu vida. Y busca en él la voluntad de Dios para contigo. Ocúpate en él, aplícate a su mensaje. Toma una palabra sagrada, un mantra del texto y repítelo suavemente en tu interior. Si te distraes, vuelve a leer el texto, a repetir el "mantra". Deja en paz las distracciones. No pierdas tiempo en luchar contra ellas. Combátelas con la Palabra de Dios que repites una y otra vez. Sé constante en este método.

Sé sincero, transparente contigo mismo. Dedícale a Dios un **tiempo** suficiente. Si puedes llegar a "una hora" seguida es un buen tiempo para hacer oración personal. No le tengas miedo. Es el amor lo que mide el tiempo. Es la gratuidad lo que marca ese espacio. Dedícale tiempo largo porque, si no, fácilmente no llegarás a lo profundo. Sé consciente de ese mundo de distracciones que viene. Por eso que el tiempo de una hora da espacio para llegar al fondo. No te dejes llevar Por la ansiedad, ni la prisa, ni el trabajo excesivo. Se trata de saber que *"quien está unido conmigo ése da mucho fruto"; se trata de saber que "sin mí no podéis hacer nada"*.

Entra en clima de **soledad y silencio**. Y no tengas miedo. No tengas miedo a que surja el hombre que realmente eres. No tengas miedo a los hombres, con sus problemas, a quienes Dios te va a llevar. No tengas miedo al mismo Dios bueno y exigente. Busca la paz y "baja a tu corazón". Busca la alegría y gozo interiores y no tengas miedo al asombro y a la sorpresa. Estate despierto y no te dejes llevar por el **Sueño**. Si te duermes, vuelve otra vez. Si el sueño es fuerte y no te deja orar como tú quisieras, pon tu vida en las manos de la misericordia de Dios. Pero nunca digas: "Como me viene el sueño, como me duermo, pues mejor no voy". Sé humilde y aprende, poco a poco, a estar despierto, ante el Señor.

Amigo, hay algo muy importante en la hora del encuentro con Dios. Tú no vas a ese encuentro a estar con "algo". Sino que vas a encontrarte con **alguien**. Tu oración personal es con una Persona que te quiere, que te ama, que te espera, que te brinda su amor y amistad. Tu oración es un encuentro con **Jesús**, camino único al Padre, acceso entrañable y seguro al Padre. Encuéntrate con Jesús y ten la seguridad en la fe de que él está presente, de que estás con él, de que a él le gusta estar contigo, de que él se siente dichoso con tu presencia. No olvides nunca esto: a la oración vas a encontrarte con Jesús, el Señor.

Pon los pies en tierra al orar. Habrá días en que necesitarás hacer, decir, echar mano de "muchas reflexiones". Hazlo. Habla al Señor. Otros días sentirás un deseo fuerte de "repetir una palabra sagrada". Dísela al Señor. Y cállate. Y vuelve otra vez a repetirla. En otras ocasiones tu corazón se quedará "en un sentimiento interior" ante Dios. Quédate en su presencia en paz y sosiego. A veces necesitarás "coger un Salmo". Y orar al ritmo del Salmo. Tómalo. Otras veces, de "devorar el Evangelio". Devóralo. Habrá días que solamente desearás "bajar a tu corazón". Baja y quédate allí. Otras veces querrás gritarle a Dios tus problemas o los de los hombres. Grítaselos. Otras veces te atraerá el "mirar que me mira". Mírale. Pero, en cualquier circunstancia no olvides esto: él está contigo y tú estás con él. No olvides esto: mientras haya diálogo (presencia) hay oración verdadera. Mientras la Palabra de Dios esté por medio la oración es segura.

Por fin quiero decirte una cosa más. Aprende a orar con la **liturgia**. Toma en tu oración los textos de cada día. Al acostarte cada noche lee despacio la Liturgia de la Palabra del día siguiente. Y céntrate en uno de los textos. Si tienes el Libro de la Comunidad

58

con los textos de cada día, pues bien. Y si no lo tienes, busca en una agenda litúrgica, en el misal los textos y vete a tu Biblia, y allí óralos. Es la mejor de las oraciones. Es la oración de la Iglesia. Es la oración del Espíritu del Señor Jesús. Es la oración que te pone en comunión con la Iglesia de Jesús. Es la Palabra de Dios para cada día.

Una palabra más: a la oración a solas con Dios, vete a **amar mucho**. Cuanto más ames al Señor, más profundo será el encuentro. No te pierdas en palabras ni en muchos pensamientos. Estate con él y ámale ayudado de su Palabra de Vida.

8. El encuentro constante, a solas con Dios, cambia la vida

Hemos llegado, amigo, al final de esta primera parte del Método para llegar a la oración de Recogimiento interior. La palabra "encuentro" ha marcado estos primeros pasos. Y el encuentro con Dios, de tú a tú, es posible por medio de su Hijo Jesús, el Enviado, la Palabra de Dios, la Revelación del rostro de Dios. Jesús es el lugar de encuentro entre Dios y el hombre creyente. Jesús es el lugar "descendente" de Dios a los hombres y el lugar "ascendente" de los hombres a Dios. Jesús es "lo humano" que se acerca a lo divino y "lo divino" que se acerca a lo humano. En Jesús, el creyente, el hombre que lo ha aceptado como proyecto de vida, se encuentra con el rostro de Dios lleno de ternura y misericordia. La oración hace del discípulo de Jesús un ser que habita en la casa de Dios, un ser que camina por la historia desde lo religioso, desde la experiencia de Dios. Jesús es la gran experiencia de Dios y la gran experiencia de ser hombre.

Esta experiencia de Dios y del hombre que se da en la oración va realizando en el corazón del creyente un cambio profundo, una transformación, una identificación. Por medio del Espíritu Santo el corazón del creyente se va transformando en el de Jesús; el hombre carnal va dando paso al hombre espiritual; lo viejo va cediendo a lo nuevo. En el encuentro oracional el orante aprende a ver las cosas con los ojos de la fe, a hacer las cosas con la mira puesta en Dios, a caminar por la vida con la presencia constante de Dios. En la oración profunda que se da en este encuentro las tendencias, las inclinaciones hacia el mal, van dando lugar a las inclinaciones hacia el bien; la muerte va dando paso a la vida y el pecado va quedando atrás ante el camino nuevo de la gracia vivida más intensamente. En este encuentro a solas con Dios el creyente aprende el amor, la justicia, la verdad, la misericordia. Y se hace de cara a los hombres agente de paz y de bien.

El centro de la oración cristiana es Jesús. Y Jesús en los momentos de oración va cambiando el estilo de vida según la experiencia de la Palabra, de la Buena Noticia del Evangelio. Por eso, amigo, no dudes, no tengas miedo en entrar con fe y entusiasmo en esta experiencia. Verás cómo, poco a poco, tu vida, tu corazón va cambiando. Así como Jesús cambió el corazón de una mujer: María Magdalena. Ella es como un punto de referencia de lo que Jesús puede hacer en tu vida si eres fiel al encuentro diario. Si eres fiel en sentarte ante él, a sus pies, escuchando su Palabra, que es "*la mejor parte*" que nadie te va a quitar. Si eres fiel en derramar tu vida, tu historia, tus pecados, tus proyectos, tu amor —como perfume especial— en sus manos, en sus pies, en su cabeza, en su corazón. Si eres fiel en buscarle aun con lágrimas hasta llegar a su encuentro. Si eres fiel en acoger la gran noticia de esos encuentros y llevarla a los hermanos. Sí, la gran noticia de su Resurrección. Noticia que recibirás un día, si antes eres fiel, como la Magdalena, en estar al lado del Cristo Crucificado. Todo cambio hacia la resurrección pasa por la experiencia de la Cruz.

Quédate, amigo, con este mensaje: el amor que buscas en la vida para ser feliz lo encontrarás en Dios-Amor; y ese amor te urgirá a hacerlo vida, gestos, hechos concretos en el servicio de los hombres. Sólo el amor cambia la vida. María Magdalena, porque "amó mucho" se le perdonó mucho. A quien más ama, más se le da, más se le perdona. Ora, ora sin cesar para que tu vida joven encuentre el camino del amor constante, del amor hasta las últimas consecuencias. Porque sólo el amor cambiará nuestra historia, sólo el amor tiene fuerza para construir el Reino de Dios entre los hombres.

Estás llamado a hacer de tu vida algo bello para Dios. Estás llamado, amigo, a acercarte al corazón de Dios y tocarlo, y luego con tus manos abiertas tocar el corazón de los hombres. Estás llamado, amigo, a ser experiencia de Dios en medio de esta experiencia, tantas veces vacía y absurda, del hombre. Estás llamado sobre todo, amigo, a ver, palpar, tocar, vivenciar a Dios en tu vida para luego ser testigo de lo que has visto y vivido en medio de los jóvenes. Haz de tu vida una llamada a encontrar en Jesús de Nazaret el sentido de la vida en tantos jóvenes que buscan y no encuentran, que tienen sed y no se sacian, que caminan y sienten cansancio. Encuéntrate con Dios a solas y busca luego el encontrarte con tantos jóvenes que viven en una soledad e incomunicación que ha tocado fondo y techo. Abre caminos de Evangelio, de esperanza.

Aquí estoy, Señor de mis utopías y mis fracasos.
Aquí estoy ante ti con un afán sincero
de acercarme a tu vida.
Me siento feliz por la fe que me has dado
y el amor con que me amas. Quiero crecer,
superarme, tocar la altura y lo profundo.
Quiero, Señor Jesús, dar a mi vida el estilo de la tuya
y hacer del Evangelio un camino de libertad.
Te abro mi corazón
tan frágil e inconstante te abro mi corazón tan pobre, vacío e
inseguro.
Oh Dios, lléname de tu presencia con la fuerza de tu Espíritu.
Te pido me des el don de la oración,
el don de saber acercarme a ti.
Te pido me des el gusto por tu Palabra de Vida.
Oh Dios, que mis ojos vean tu rostro y mis manos palpen tus huellas.
Hazte presente en mi vida
da nuevo rumbo a mi existencia. Aquí estoy,
aquí me tienes como arcilla en tus manos:
moldéame y haz la obra que soñaste conmigo.
Amén.

*En el primer espacio
del encuentro*

Encuentro con tu corazón
de barro

*Ponte en la presencia de Dios con paz y amor,
sintiéndote nada ante él que es Todo,
adórale, alégrate de corazón.*

1. Ora en espíritu y en verdad

La experiencia de Dios va a surgir, amigo, cuando surja la "experiencia del hombre". Quiero volver a insistirte que el encuentro con uno mismo es camino hacia el encuentro con Dios. Cuando toques en lo profundo de tu corazón "tu barro", tu fragilidad, tu pobreza y miseria, entonces necesitarás levantar tu corazón con fuerza a quien pueda salvarte. Cuando llegues al hondo de tu corazón, de ti mismo, al yo profundo, te asombrarás al encontrarte con lo más tuyo que tú tienes: **Dios**. No te extrañes. No te asustes. Experimenta esta realidad, pues el hombre —tú y yo—, es "*imagen de Dios*". Un Dios vivo, un Dios cercano, un Dios que nos habita.

Ahora, es esta primera parte del Método, después de aclarar lo que es la oración de recogimiento interior, quiero ayudarte a encontrar el camino de oración para tu vida. Yo te ofrezco este estilo oracional sencillo y profundo. Te digo, amigo, que la oración se da cuando haya la experiencia de "dos personas": Dios y tú. Trata de encontrarte contigo mismo y trata de tomar conciencia de la "presencia de Dios" en ti y en todo lo que te rodea. Abre los ojos a ese mundo misterioso que te rodea y que puedes tocar y ver y sentir y experimentar desde la fe. Siempre que ores, entra dentro de ti, *entra en un rincón y, cerrada la puerta, ora en secreto a tu Padre, y tu Padre que ve en lo escondido te escuchará*, dice Jesús. Ponte en la presencia de Dios. Y para ello sé consciente de ti mismo, de tu presencia, de tu realidad profunda. Ponte en la presencia de Dios *y adórale en espíritu y verdad*. Porque ni en *Jerusalén, ni en Garizín* está Dios cautivo; Dios está aquí y allí, en lo alto y en lo bajo, en lo ancho y en lo estrecho, adelante y atrás, dentro y fuera. Dios te rodea, te inunda, te empapa más que el agua al pez.

Ponte en la presencia de Dios al principio de tu oración. Abre "tus ojos" a Dios que habita en lo hondo de ti o a Dios que está presente en la Creación donde ha dejado sus huellas, o a Dios presente en su casa, en su templo, o a Dios presente en medio de la comunidad, o a Dios presente en la historia, en los acontecimientos. Toma conciencia de esta realidad que te envuelve y alégrate de tener a Dios tan cercano a ti. Dedica siempre unos minutos, cinco o diez, al principio de la oración, a "*ponerte en la presencia de Dios*". Y cuando estés empapado de que estás con Alguien, cuando estés consciente de que "tú" estás con el "Otro *tú* ", entonces, comienza tu oración. Cuando te distraigas de ti mismo, cuando dejes de poseerte, de tenerte allí donde estés y en lo que estés, te darás cuenta de que Dios se te escapa. Y cuando dejes de estar atento a Dios, tú mismo te desvirtúas y como que no te posees, como que te sientes flojo, sin sentido profundo.

Ora en tu ser, desde tu pobre barro. Ora desde tu debilidad y pide al Espíritu de Jesús que venga en tu ayuda y ore en ti *con gemidos profundos*. Ora "en espíritu". Orar en espíritu es hacerlo bajo la moción del Espíritu Santo, el Espíritu de amor, el que conduce a la verdad plena. Orar en el Espíritu es contar con el Poder de Dios, su Espíritu, con su Fuerza, Luz y Amor. Ora en el Espíritu, que es dejarte poseer por el amor del Padre y del Hijo inundándote con su paz, gozo y alegría. Ora en el Espíritu, que es el único agente oracional: el Espíritu de Jesús, enviado por el Padre en el nombre de Jesús mismo. Déjate llevar por su fuerza, por su amor y verás cómo tu oración se hace gozosa. Orar en el espíritu es también orar desde lo profundo de tu corazón.

Ora en el Espíritu que es *"Fuego"* que transforma, *"Agua viva"* que comunica vida, *"Viento recio"* que alienta, *"Paloma"* que desciende con fuerza buscando su nido, *"Aceite"* que se derrama, empapa, penetra todo y lo suaviza, *"Sello"*, marca de Dios que da su identidad, su pertenencia. Ora en el Espíritu que es *"Llama de amor viva"*. Deja que el Espíritu ore en ti, y gime por que se manifieste en ti, dejándole en libertad, pues *"donde está el Espíritu está la libertad"*. Ora en el Espíritu que se te dio como *"Prenda"* de vida eterna en el Bautismo y Confirmación. Gózate de poseer en tu corazón el amor de Dios que clama, en el Espíritu: ¡*Abbá, Padre*!

Y ora también *"en verdad"*. Orar en verdad es orar en unión con Jesús. Es hacer unidad con Jesús, el Gran Orante, *el único Mediador entre Dios y los hombres.* Que tu oración sea la de Jesús, movido por el Espíritu al Padre. Que tu voz sea la de Jesús, tus sentimientos los de Jesús, tus gestos los de Jesús. Sé consciente de que Jesús vive en ti, de que tu vida es la de Jesús y la de Jesús es la tuya. Ora con la confianza de que el Padre siempre escucha la oración del Hijo. Ora como hijo en el Hijo. También orar en verdad es orar desde la sencillez, desde la transparencia, desde la pureza y verdad de tu corazón. Orar en verdad es orar con tu historia, con tu realidad, orar desde la vida, en la vida y con la vida. Orar desde tu corazón de barro.

Y verás el milagro. Verás lo que tus ojos buscan. Entonces, orando en espíritu y verdad descubrirás que Dios lo es **todo** y que tú eres **nada.** Y entonces te rendirás ante su presencia, te inclinarás ante su grandeza, te postrarás ante su santidad, te sentirás como granito de arena en el desierto y le **adorarás.** Adorar es saberse en la presencia del Dios, del Unico, del Santo. Adorar es gozarse, alegrarse de que Dios sea Dios. Adorar es la gran experiencia de este encuentro que lleva a experimentar a Dios presente en mi vida. Adora, porque amas. Adora, porque crees. Adora, porque esperas. Dile a Dios con toda tu alma: *"Oh Dios mío,*

*yo te amo con todo mi corazón y con todas mis fuerzas
y con toda mi alma y sobre todas las cosas"*. Quédate
en silencio. Calla. Siéntete pequeño, insignificante,
pobre. Pero al mismo tiempo confía, abandona,
entrega tu vida en manos de su amor. Siéntete como
un gorrioncillo que ha encontrado su nido. Y descansa
al calor de sus plumas, bajo sus alas.

Antes de comenzar este camino de iniciar la oración poniéndote en la Presencia de Dios quiero traerte
aquí este himno que la Iglesia, maestra de oración,
nos ofrece en la vigilia de Pentecostés. Es lo más bello y profundo que conozco sobre el Espíritu Santo.
Te invito a que lo ores muchas veces. A que, con frecuencia, comiences tu oración recitando este himno.
Te invito a que te agarres a sus estrofas y que hagas
de ellas un soporte para aguantar tu oración muchas
veces. No lo digas con los labios. Haz levantar este
Himno al Espíritu Santo desde tu corazón de barro.
Ora con él:

*Ven, Espíritu divino,
manda tu luz desde el cielo.
Padre amoroso del pobre;
don, en tus dones espléndido;
luz que penetras las almas;
fuente del mayor consuelo.*

*Ven, dulce huésped del alma,
descanso de nuestro esfuerzo,
tregua en el duro trabajo,
brisa en las horas de fuego,*

gozo que enjuga las lágrimas
y reconforta en los duelos.

Entra hasta el fondo del alma,
divina luz, y enriquécenos.
Mira el vacío del hombre
si tú le faltas por dentro;
mira el poder del pecado
cuando no envías tu aliento.

Riega la tierra en sequía,
sana el corazón enfermo, lava las manchas,
infunde calor de vida en el hielo,
doma al espíritu indómito,
guía al que tuerce el sendero.

Reparte tus siete dones
según la fe de tus siervos.
Por tu bondad y tu gracia
dale al esfuerzo su mérito; salva al que
busca salvarse
y danos tu gozo eterno.
Amén.

2. Baja a tu corazón
   donde Dios te habita

Es una experiencia que llena de gozo y paz el saberse habitado por Dios, en su Espíritu Santo. Tomar conciencia de esta realidad es como encontrar el "tesoro escondido" dentro del corazón, es como dar con "la raíz de la vida", es como descubrir "el manantial" que alimenta nuestro río. Dios está en el corazón del creyente por su gracia. Dios ha puesto su tienda en el corazón del creyente en el Bautismo. Dios ha hecho del corazón del creyente "morada", "casa", "templo". Descubrir esta realidad y vivirla en la oración es como aprender a vivir desde lo profundo, desde el centro de uno mismo, desde el fondo del alma, desde la parte más secreta del corazón. Baja a tu corazón, al iniciar tu encuentro con Dios; baja ayudado de la fe y el amor; baja con tu mente y tu afecto hasta ese Dios escondido que habita en ti y quédate con él a solas.

Cuando descubres esta realidad propia del cristiano, del que sigue a Jesús, entonces tu vida se vuelve fuerte, segura, con capacidad de enfrentar las cosas desde Dios, con el poder del Espíritu que llevas contigo. Cuando tomas conciencia de esta verdad entonces vas por la vida con Dios y él camina contigo. Y vayas en el coche, o en el tren, o a pie, o pasees, o estés trabajando, o en cualquier otro sitio u ocupación, puedes entrar dentro de ti y saberte poseído, animado por el Espíritu de Jesús. Y hacer de tu vida una oración constante.

Dios te ama y está en tu corazón. Allí, en tu barro, Dios es Padre, Dios te quiere. Dios te ama y te llama desde lo hondo de ti. Jesús te ama y está vivo, resucitado en tu corazón cuando vives su gracia, su verdad. Jesús, dentro de ti, se convierte en amigo, hermano. Dentro de ti es Salvador y Señor de tu vida. El Espíritu Santo te ama y habita en ti. Su Amor se hace fuerza, verdad, libertad, paz. Su presencia es la de un amigo que te guía, que te va cambiando el corazón, que te vivifica, que te santifica. La Trinidad está en ti y vive dentro de ti. Cierra los ojos y vívela, ámala, escúchala. Siéntete feliz de saberte habitado por ella. Dentro de ti hay un cielo, está el Reino de Dios, posees la Vida eterna. Ábrete con esperanza a su presencia y sé feliz, al sentirte amado por la Trinidad de Amor.

Yo te invito, amigo, que experimentes el orar en tu interior, en tu corazón. Te invito a que tu vida sea un encuentro constante con Dios en ti, que sea un diálogo, con o sin palabras, con Dios en ti. No mires hacia fuera de ti, mira hacia dentro y ora en tu interior.

Escucha el clamor del Espíritu de Jesús que dice: ¡*Abbá, Padre*! Unete a ese clamor y verás cómo tu vida "lo tiene todo", porque Dios camina contigo. Quiero sugerirte alguna manera concreta de hacer presencia de Dios en este primer "espacio", momento, tiempo de tu encuentro con Dios. No olvides nunca las tres maneras de dialogar con Dios: "las reflexiones numerosas", "la frase sagrada repetida con paz", o el "sencillo sentimiento interior" sin palabras. Aquí dejo algunas pistas para esta manera de ponerte en la presencia de Dios. Lo puedes hacer de una manera sencilla por medio de varias, alguna, o sencillamente una sola de estas actitudes en que te sitúas ante Dios:

— Actitud de fe: *"Oh Dios, yo creo que habitas en mí, porque eres Padre y me amas"*.

— Actitud de adoración: *"Dios mío, tú estás en mí, eres mi Dios y Señor; yo te adoro"*.

— Actitud de agradecimiento: *"Dios mío, me alegro de que mores en mí, te doy gracias porque vives en mí"*.

— Actitud de humildad: *"Señor, tú lo eres todo en mí; yo soy nada"*.

— Actitud de anonadamiento: *"Señor, me siento pequeño ante ti; tú llenas mi vida"*.

— Actitud de reconciliación: *"Señor Dios mío, mira mi pobreza; no me abandones nunca; quédate conmigo"*.

— Actitud de aplicación: *"Señor Jesús, tú que moras en mí, dame tu amor; permanece en mí; yo cuento contigo"*.

— Actitud de unión: *"Tú vives en mí, Jesús amigo; yo quiero unirme a ti, vivir de tu vida"*.

— Actitud de súplica: *"Espíritu Santo, ven en mi ayuda; manifiéstate en mi corazón; ora en mí"*.

Estas actitudes profundas del corazón creyente, en experiencia de Dios dentro de ti, son esas expresiones de la fe, de la caridad y de la esperanza que normalmente surgen en la oración. Sé libre; déjate llevar por el Espíritu; toma algunas de esas actitudes y con esa oración breve u otra que tomes, repítela despacio, haz silencio, vuelve otra vez a decirla hasta que tu corazón se sienta, desde la fe, con Dios. A lo mejor, al ir a hacer tu oración, un día cualquiera, te sientes bien en estar todo el tiempo en este primer espacio de ponerte en la presencia de Dios. Pues quédate en él y no sigas adelante, porque lo importante es "estarse con Dios" en paz y amor.

Ahora quería sugerirte otra manera de ponerte en la presencia de Dios a través de un texto bíblico, de una Palabra de Vida tomada del Evangelio. Aquí tienes los textos, alguno, que te ayudará a bajar a tu corazón y encontrarte con Dios. Tomas el texto y lo repites despacio, siempre con la mirada de fe, sencilla y atenta, en tu interior.

— *"El amor de Dios ha sido derramado en nuestros corazones por el Espíritu Santo, que nos ha sido dado"* Rm 5, 5.

— "¿No sabéis que somos templos de Dios y que el Espíritu habita en vosotros?" 1Co 3, 16.

—"Ya no soy yo quien vive, es Cristo quien vive en mí" Ga 2, 20.

— "Vuestra vida está escondida con Cristo en Dios" Col 3, 3.

— "Aquel que me ama, mi Padre le amará, y vendremos a él y haremos morada dentro de él" Jn 14, 23.

Deja que esa Palabra de Dios llegue a tu corazón con paz. Deja que el Espíritu actúe en tu corazón por medio de la Palabra. Deja que despierte tu corazón y le ponga en sintonía con Dios. Déjate orar por el Espíritu que vive dentro de ti.

Yo creo, Señor, que tu amor ha sido derramado en mi corazón. Creo en tu amor vivo en mí y me abandono en tus manos. Gracias porque tu Espíritu me inunda, me llena, me da vida. Te alabo y te doy gracias porque moras en mí, porque eres un Dios escondido.

Te llamo Padre, te llamo y te pido que derrames tu Espíritu en mí, para que él ore en mí, para que él guíe los pasos de mi encuentro contigo.

Yo sé, Señor, que soy tu templo.
¡Yo soy templo del Dios vivo!
Me siento feliz y dichoso porque habitas en mí, porque has puesto en mí tu casa, tu morada.
¡Soy tu tienda! ¡Oh Señor, eres tan cercano,

tan entrañable, tan profundo!
Déjame habitar en tu casa, como tú
habitas en la mía. Quédate conmigo;
estate, Señor, conmigo en mi pobre corazón.

Señor Jesús, Tú vives en mí. Tú eres
mi Vida plena. Señor Jesús, que la vida de tu
Espíritu penetre toda mi existencia. Señor Jesús,
que el hombre viejo muera en mí y que sólo
vivas tú en mi vida; tú que eres el Hombre
nuevo. Tú vives en mí; tú eres vida en mí;
tú vives, vives...

Oh Dios, en ti pongo mis ojos. Te miro
dentro de mí. Oh Dios, tú eres un Dios
escondido. Quiero esconderme en ti. Oh Dios,
en Cristo Jesús, camino hacia ti,
quiero llegar a tu corazón de Padre y
esconderme en lo escondido de tu morada.
Mi vida, Señor, oculta con Cristo en ti.

Yo te amo, Jesús. Te amo en el fondo de mi corazón.
Yo te amo y me uno a ti y cuento contigo.
Te amo y me alegro porque el Padre me ama.
Soy feliz con el amor del Padre.
Yo sé que moras con el Padre, en tu Espíritu,
dentro de mí. Gracias por morar,
por estar dentro, por vivir en mí.
Soy dichoso al saberme amado,
amado por ti, por el Padre,
por tu Espíritu Santo.
Contigo estoy. Gracias.

3. Abre tu corazón
al Dios de la creación

Si es cierto que donde vayas llevas a Dios, por la gracia, en tu corazón, y en cualquier momento puedes entrar en diálogo profundo con él, también es cierto que vivimos rodeados, inmersos, situados en medio de la obra del amor de Dios: la Creación. Abre tus ojos y toca con tu fe a Dios presente en la vida, en ese derroche de su amor que ha dejado en sus obras. Descubre detrás de una flor, de una montaña, del vuelo de un pajarillo, de la pureza del agua... el amor, la belleza, la ternura, la grandeza, la pureza de Dios. Descubre en la Creación esa vida de Dios hecha vida entre nosotros, descubre sus huellas profundas y alégrate, despiértate, alábale, siéntele como una fuente de amor, de luz, de belleza en la vida. Ponte en su presencia y cántale al Autor de cuanto existe, porque *en Dios vivimos, nos movemos y existimos*. Nos rodea su amor, un amor desbordante de Padre.

Es otra manera de ponerte en la presencia de Dios en tu encuentro oracional. Sobre todo si te gusta orar, como Jesús, en medio de la naturaleza. A Jesús le encantaba orar en el silencio de la noche, al arrullo del canto de los grillos, a la caricia de la brisa fresca y bajo la suavidad de la luz pura de las estrellas. También le gustaba, al amanecer, orar en la inmensidad de un descampado, como esperando la llegada del sol y sentirse en sus rayos tocado por la luz y el calor del amor del Padre. Le gustaba también orar junto al mar, sentado en la playa, sintiendo bajo sus pies, la fragilidad de la arena, mientras miraba el mar, el lago, y se adentraba en la grandeza del amor de su Padre Dios. Le gustaba también orar mirando los campos dorados de mieses, al atardecer, y escuchar el murmullo de las espigas al ser mecidas por la brisa. Entonces su corazón se elevaba al Padre y le pedía que enviase obreros a su mies. Oraba, en todas partes: ante los lirios del campo o los pajaritos que no tienen granero; ante el agua de la fuente, que salta en chorro de Agua viva, o ante el pan y los peces que en sus manos se multiplican, oraba ante el hombre roto, tullido, ciego, leproso, poniendo sus manos sobre el hombre, obra cumbre de la creación, y le devolvía la belleza que había perdido, desde su ternura y misericordia. Jesús es el Hijo del Dios de la vida. Y Jesús vibra, se emociona, vive y tiene a su Padre presente en sus obras.

Amigo, a Dios Creador le puedes ver con los ojos de la fe y abrir tu corazón a su presencia en tantos sitios oracionales. Tú corazón puede ser como el de

Francisco de Asís, que, como el de un niño, descubre siempre en "todas las cosas", al "Dios mío" de su existencia. Y todo se vuelve "hermano" para él, porque todo tiene un mismo Padre: el Creador de cielos y tierra. Descubre a Dios ante una puesta de sol, y sal de ti, hecho alabanza, en busca de su belleza y suavidad. Descubre a Dios en el vuelo de una gaviota, o en el paso del águila que se emborracha en las alturas, y siéntelo libre como el Dios de la libertad. Descubre a Dios dentro de una roca, en lo escondido, y dile que te meta *"en lo escondido de su morada"*. Descubre a Dios en los ojos limpios y puros de un niño y pídele que te haga como niño para entrar en su Reino. Descubre a Dios en la lluvia que cae, en el viento que pasa, en la nieve que se posa, de puntillas en la tierra, y dile a Dios que empape tu vida, que su amor caiga sobre tu existencia. Descubre a Dios sentado en la pradera, sobre la hierba que huele a fresco, y quédate en silencio ante su grandeza, desde tu pequeñez. Descubre a Dios, descubre a Dios... en estos signos, la obra de la Creación, que nos gritan, que nos proclaman su presencia, su amor. Descubre y adóralo. Descubre y alábalo. Descubre y siéntete criatura, obra de sus manos, hijo.

Tú mismo eres obra de Dios. Tú mismo eres huella de Dios. Tú mismo eres hechura de sus manos. Tú mismo eres imagen suya. Descubre en ti su presencia, descubre en tus manos esa capacidad de acogida que él ha puesto en ellas. Descubre en tu piel, ese mundo de vida, de células que, a millones, viven en ti. Descubre los latidos de tu corazón y escucha la vida de Dios que te hace vivir. Descubre en tu aliento caliente, la vida, el respiro, el hálito de Dios. Descubre en tu respiración suave o acelerada, el tono caliente del aire cuando lo expulsas y el tono fresco cuando lo inspiras. Descubre en tu saliva, en tus labios, ese mundo sensible, ese mundo, como un hormigueo, que te dice: vives. Descubre en tus pasos la vida de Dios que camina, que peregrina. Descubre en tu cansancio o en tu sueño, toda la vida que Dios ha puesto en ti. Descubre en tu dolor una llamada a salir de ti, a poner tus ojos en él pidiendo misericordia. Descubre al Dios de la vida en tu vida. Y abre tus ojos y ponlos en los ojos de Dios. Abre tu corazón y ponlo en el corazón de Dios. Y dile desde lo profundo: "*Oh Dios, yo* **existo***. Gracias, porque me has creado*".

Quiero, amigo, ayudarte a que en este espacio del encuentro con Dios puedas ponerte en su presencia a través de la Obra de su Creación. Y que al admirarlo, al alabarlo, al cantarle y darle gracias, te sientas feliz, suyo, sabiendo que le perteneces. Te quiero traer aquí ese himno de ese hombre, el hermano universal de la Creación, Francisco de Asís, para que te ayude a ponerte de cara a Dios y descubras su presencia. Oralo despacio, díselo a Dios:

Omnipotente, altísimo, bondadoso Señor,
tuyas son la alabanza, la gloria y el honor;
tan sólo tú eres digno de toda bendición,
y nunca es digno el hombre de hacer de ti mención.

*Loado seas por toda criatura, mi Señor, y en especial
loado por el hermano sol, que alumbra, y abre el día,
y es bello en su esplendor y lleva por los aires noticias
de su autor.*

*Y por la hermana luna, de blanca luz menor, y las
estrellas claras, que tu poder creó, tan limpias, tan
hermosas, tan vivas como son, y brillan en los cielos:
¡loado, mi Señor!*

*Y por la hermana agua, preciosa en su candor, que es
útil, casta, humilde: ¡loado, mi Señor! Por el hermano
fuego, que alumbra al irse el sol y es fuerte, hermoso,
alegre: ¡loado, mi Señor!*

*Y por la hermana tierra, que es toda bendición la
hermana madre tierra, que da en toda ocasión las
hierbas y los frutos y flores de color, y nos sustenta y
rige: ¡loado, mi Señor!*

*Y por los que perdonan y aguantan por tu amor los
males corporales y la tribulación: ¡felices los que
sufren en paz con el dolor, porque les llega el tiempo
de la consolación!*

*Y por la hermana muerte: ¡loado, mi Señor! Ningún
viviente escapa de su persecución;
¡ay si en pecado grave sorprende al pecador!
¡Dichosos los que cumplen la voluntad de Dios!*

*¡No probarán la muerte de la condenación! Servidle
con ternura y humilde corazón. Agradeced sus dones,
cantad su creación. Las criaturas todas, ¡loado a mi
Señor!*
Amén.

Quiero indicarte otro camino hermoso para acercarte a Dios en la Creación. Es el camino de los Salmos. De aquellos bellos Salmos que hablan, que cantan, que alaban a Dios en su Creación. Puedes tomar uno de esos Salmos, mirar el paisaje, y sobre él, alabar a Dios con esos himnos, esos poemas que nacen de un corazón que se siente amado por el Dios de la vida. Aquí te dejo alguna estrofa de algún Salmo:

Señor, dueño nuestro, ¡qué admirable es tu nombre en toda la tierra!

Cuando contemplo el cielo, obra de tus dedos,
la luna y las estrellas que has creado,
¿qué es el hombre para que te acuerdes de él, el ser humano, para darle poder? (Sal 8).

Alabad al Señor desde la tierra, fuego y granizo,
nieve y bruma, viento tempestuoso,
ejecutor de su palabra montañas y todas las colinas,
árboles frutales y cedros todos, fieras
y todos los ganados, reptiles y pájaros que vuelan,
los jóvenes y doncellas también, viejos junto
con los niños. Alaben el nombre del Señor:
porque sólo su nombre es sublime (Sal 148).

Si ante la Creación, que es epifanía, manifestación de Dios, descubres y haces a Dios presente en ella, abre tu corazón al Dios de la vida, del amor, y en silencio, con un sentimiento interior, también puedes alabarlo, admirarlo, adorarlo. Dios está tan cerca de ti que te inunda con su amor y belleza.

4. Mira con tu corazón a Jesús hecho Pan de Vida

El orante, el que busca el rostro de Dios con tesón, es un apasionado de la soledad y el silencio. Siente que el Espíritu le conduce al desierto donde Dios le habla al corazón. El orante —y tú, amigo, estás empeñado en ello—, se siente atraído por la presencia de Jesús, allí, donde él se manifieste con más fuerza. El orante busca orar ante el sagrario, busca orar en el silencio y paz de una iglesia o capilla. El orante quiere encontrarse a solas con Dios en Jesús y busca estar a su lado, en fe pura, encendido en su amor, como la lamparilla ante el sagrario. Otra manera de ponerse en la presencia de Dios es situarse ante Jesús, Pan de Vida, en el sacramento. Allí está sumido en el silencio; allí está en espera de que alguien se ponga a sus pies, como la de Magdala. Orar ante el sagrario es ponerse ante un buen espacio, un buen clima oracional.

Sin duda que conoces alguna iglesia donde te sientes bien ante Dios. En su casa, en su mansión. Una iglesia que invite a recogerse, a centrarse, a situarse ante

84

Jesús sacramentado. Busca ese rincón que te ayudará a encontrarte con Jesús el Señor. O tienes una capilla pequeña porque vives en comunidad, y allí se está bien, a solas con el Señor. Sentado sobre la moqueta, con música ambiental suave, después del trabajo del día, o de mañana, allí está el lugar de la cita. Ponte tranquilo, sereno ante el Señor. Y mira. "Mira que te mira". Quédate en silencio, clavados los ojos en el sagrario. Traspasa la madera o el metal y sé consciente de la presencia real de Jesús que está contigo. Dile algo. Cállate de nuevo. Conecta con él desde el silencio de tu corazón. Mira con el corazón. Pon tu corazón en el corazón de Jesús. Y ama. Y espera. Y adora. Y cree. Y siéntete bien y agradece. Y únete a Jesús. Y pídele su Espíritu. Así, amigo, sencillamente así, gasta tiempo en arder como la llama de la vela que delata su presencia.

Aún más. Si te gusta contemplar, adorar, estarte con Jesús sin más, ponte en silencio, despojado de todo ante Jesús expuesto en el Santísimo Sacramento. Y míralo. Y quédate sin pestañear. Mira con el corazón y descubre que está allí porque te ama, porque se ha hecho alimento, porque ha puesto su tienda entre los hombres. No caigas en la tentación de tomar un libro. No; solamente hazle compañía, sin prisas, en silencio y paz. Verás cómo tu corazón, día a día, se libera, se cura, se va despojando de tantas cosas que no te dejan ser tú, hasta quedarte con lo esencial. Ama. No dejes de amar el Amor. Alégrate, gózate interiormente, asómbrate, olvídate de ti. Sólo importa él, Jesús el Señor.

Después de tomar conciencia de que estás con él, si tienes ganas de cerrar los ojos, ciérralos. Y haz tu oración larga. Si quieres seguir mirándole, sigue. Lo importante es que él está allí y tú estás con él. Lo importante es que hay encuentro y el amor se hace fuerte como la muerte. Yo te sugiero, amigo, que te agarres de algunas oraciones del Evangelio, apoyadas en la Palabra de Vida, y que se las digas a Jesús despacio, una y otra vez. El texto del Evangelio lo pongo en forma de oración, de diálogo con el Señor, pero sin perder su mensaje. Repitiéndolo te ayudará a poner tu corazón en el Señor Jesús.

—*"Aquí estoy contigo, Señor Jesús: ¿qué quieres que haga?" (Hch 9, 10).*

—*"He aquí, Señor Jesús, tu esclavo (a); hágase en mí según tu palabra" (Lc 1, 38).*

—*"Señor Jesús, aquí estoy contigo; dame de tu agua para que no tenga más sed" (Jn 4, 15).*

—*"Jesús, amigo, abre mis ojos a tu luz: yo creo en ti, Señor" (Jn 9, 38)*

—*"Jesús, tú eres el Buen Pastor, dame vida y vida en abundancia" (Jn 10, 10-11).*

—*"Señor Jesús, aquel a quien tú amas, está aquí contigo, y está enfermo; cúralo" (Jn 11, 3).*

—*"Señor, quédate conmigo, porque atardece y el día ya ha declinado" (Lc 24, 29).*

—*"Jesús, aquí estoy contigo; quiero permanecer en ti como el sarmiento, y que tú permanezcas en mí" (Jn 15, 4).*

También te invito a que tomes algunos versos de algún Salmo y que hagas lo mismo. Busca frases cortas, llenas de fuerza y vida, que expresen los deseos profundos que tienes de estar con el Señor en soledad, de mirarlo desde el corazón. Sobre todo las encontrarás al inicio de muchos Salmos.

—*"Como busca la cierva corrientes de agua, así estoy aquí, Jesús, buscando tu rostro" (Sal 41).*

—*"Mi corazón tiene sed de ti, Jesús, Dios vivo, sed de ti, sed de tu amor" (Sal 41).*

—*"Señor Jesús, busco morar en tu casa, gustar tu dulzura, estarme contigo" (Sal 6).*

—*"Crea en mí, Señor Jesús, un corazón puro y un espíritu firme" (Sal 50, 12).*

—*"Mi corazón grita de alegría ante tu presencia, Señor Jesús" (Sal 3, 3).*

—*"Como un gorrioncillo, Señor Jesús, me pongo en tus manos, rey mío y Dios mío" (Sal 83, 4).*

Quiero hacerte una advertencia, amigo, y te la hago con la mayor amistad. Es bueno orar en el cuarto, en la habitación. Si lo haces, que todo esté perfectamente en orden. Pero yo te sugiero que te habitúes a orar en presencia del sagrario, en la capilla. La oración tiene otro clima, porque el espacio oracional ayuda. Si eres fiel en orar ante el sagrario donde el Señor habita, terminarás haciendo de ese lugar, de ese rincón, tu espacio oracional. Si no tienes a mano una capilla, o la iglesia no reúne condiciones que ayuden a recogerte interiormente, entonces, busca tu espacio oracional. Pero orar ante la presencia de Jesús, en la casa de Dios, tiene un clima que no se consigue fácilmente en otro lugar. Cierto, siempre él está presente en tu corazón.

5. Toca con tu corazón a Jesús en medio de los hermanos

Desde el primer momento ha quedado claro que solamente te hablo de la "oración personal", de la oración a solas con Dios. Creo sinceramente que ella es el alma, la fuerza de la oración comunitaria. Creo, amigo, que se renueva el estilo y la vivencia de la oración comunitaria, cuando los miembros de esa comunidad, de ese grupo, se comprometen a tener cada día su experiencia de Dios. Lo personal anima lo comunitario. Lo comunitario arropa y estimula lo personal.

Tal vez pertenezcas a un grupo cristiano donde profundices tu fe; tal vez pertenezcas a la comunidad familiar, en tu propia casa, donde oréis cada día, tal vez pertenezcas a un seminario donde haces la experiencia de Dios con otros jóvenes creyentes; tal vez estés en una comunidad religiosa donde te empeñes en seguir a Jesús radicalmente, tal vez estés en algún movimiento de la Iglesia. Donde quieras que estés, donde quiera que vivas tu fe en Jesús, el Señor, recuerda que la comunidad es el lugar del seguimiento de Jesús y que en ella, si la vives, te encontrarás feliz. Ahora quiero presentarte otra manera de ponerte en la presencia de Dios. Es la de considerar a Jesús presente en la comunidad. Recuerda aquel texto de Jesús en el Evangelio de Mateo 18, 20: "*Porque donde están dos o tres reunidos en mi nombre allí estoy yo en medio de ellos*". Es Palabra de Jesús. Y es una realidad que llena de gozo el alma.

Puede ser que tu oración personal, tu oración de interiorización la hagas "en comunidad" con otros miembros de la comunidad, en silencio. Cada cual en su oración, después, por ejemplo, de haber rezado juntos Laudes o Vísperas. Lo cierto es que, cuando oras con otros creyentes, puedes abrir tu corazón y "tocar" la presencia de Jesús en medio de la comunidad. Está allí, porque un grupo de creyentes están reunidos en su nombre, es decir, viviendo su estilo de vida, creyendo en él, haciendo de él el Valor fundamental de sus vidas. La comunidad está convocada por el Espíritu Santo en torno a Jesús para dar gloria al Padre. Jesús es el centro de la comunidad. Jesús es la norma, la regla de vida, el camino, la verdad y la vida de la comunidad. Sin Jesús en el centro de la comunidad, la misma comunidad se descentra, se desequilibra, se vuelve imposible.

Quiero decirte, amigo, que puedes ponerte en la presencia de Dios haciendo "unidad" con los hermanos que están contigo reunidos. Jesús se hará presente en ti en la medida que ames a los hermanos, en la medida que los quieras, los comprendas, los sirvas, los perdones. La presencia de Jesús en medio de la comunidad no es tanto una presencia muerta, es decir, por el mero hecho de estar juntos, sería muy fácil. Su presencia surge cuando en comunidad se vive la fe, cuando la caridad es norma de vida en la comunidad. Cuanto más fe y amor, más fácil ver al Jesús de la comunidad. Cuanto menos fe y amor, más difusa su presencia. Te invito a que hagas esta experiencia oracional en medio de la comunidad orante:

Creo en tu Palabra, Señor Jesús.
Creo en tu Evangelio. Tú has dicho que estás
en medio de los hombres, Señor, que se reúnen
en tu nombre. Tú estás en medio de nosotros.
Señor Jesús, abre mi corazón a tu
presencia en los hermanos;
dame un corazón con capacidad de
tocarte en sus vidas; dame un corazón
capaz de verte en fe vivo,
resucitado en medio de nosotros.
Creo que estás con nosotros. Señor Jesús,
abre mi corazón y el de mis hermanos,
a la experiencia de Dios. Danos un mismo
corazón un mismo sentir, un mismo
Espíritu de Amor. Creo que estás aquí,
en medio de los reunidos en tu nombre.
Te amo. Te adoro. Te agradezco tu presencia.
Me siento feliz, en mi pobreza, unido a los hermanos.
Señor Jesús, unido a ti, con la fuerza
de tu Espíritu quiero orar, abrirte mi corazón,

que pasa por el corazón de los hermanos.
Sé generoso, sé fuerte, sé grande entre nosotros.

Necesitas descubrir esa presencia del Resucitado en medio de la comunidad lo necesitas para que, después, durante el día, en tus relaciones con la comunidad, con sus miembros, sepas que *"lo que haces a cada uno de ellos, es al mismo Jesús a quien se lo haces"*. Lo necesitas para que en tus encuentros con otras comunidades, con otras gentes que esperan tu servicio, tu trabajo por el Reino, sepas dar sin medida, pero con la medida del amor de Dios. Recuerda que en 1Co 13, 1-13, Pablo, el hombre creador de comunidades, dice que el amor a los hermanos *"es paciente, servicial, sin buscar la vanidad, ni sentirse creído; no busca el interés, ni se irrita, ni tiene en cuenta el mal, lo cree, lo soporta, lo espera, lo excusa todo"*. Sólo cuando se descubre la presencia de Jesús en el otro, miembro de una comunidad, se es capaz de amarlo por Jesús y con el amor de Dios. Amigo, en la oración vas a descubrir el móvil de tu amor en comunidad, y la presencia de ese *"Tesoro escondido"* que está en medio de la comunidad y se llama Jesús.

A veces te has podido encontrar con "oraciones" bellas y profundas que te han ayudado a orar. Te invito a que ores con la gran oración de los que están reunidos en comunidad. Es la oración hecha por Jesús, cuando la víspera de su muerte, en medio de su comunidad, levantando los ojos al Padre, como el Gran Orante que era, dijo: *"Padre, ha llegado la hora; glo-*

rifica a tu Hijo para que tu Hijo te glorifique a ti". Es una oración larga, hermosa, profunda. Es la oración, junto con el Padrenuestro, que nos ha dejado Jesús. Es la oración dirigida al Padre de la comunidad pidiendo por la unidad de la comunidad. Te sugiero que al principio de tu oración, alguna vez, ores con esta oración de Jesús. Que ores y, si quieres ir más lejos, que te lo aprendes de memoria a fuerza de orarla, para que luego tu oración vigile por la "unidad de tu comunidad". La encontrarás completa en el Evangelio de Juan, capítulo 17.

También te ayudará a ponerte en presencia de Dios en medio de la comunidad la Oración de Jesús: el Padrenuestro. Tómalo y, despacio, inicia tu encuentro con Dios, recitándolo en tu corazón, unido a Jesús. Ten conciencia de que no eres tú el que lo dice, sino que es el mismo Jesús quien ora movido en tu corazón por su Espíritu. Unete a tu comunidad si estáis juntos, y ora despacio diciendo:

Padre nuestro, que estás en el corazón de mis hermanos, únenos en ti, por la fuerza de tu Espíritu. Padre nuestro, santificado sea tu nombre; se tú el centro de nuestras vidas, la norma de nuestros comportamientos.
Padre nuestro, venga a nosotros, reunidos en tu nombre, tu Reino; tu Reino de amor, de paz, de cercanía. Hágase tu voluntad.
Padre nuestro, en lo profundo de nuestros corazones; que sea tu voluntad la pasión de

nuestra vida y el lazo de unión. Padre nuestro,
que en la tierra de nuestra comunidad te amemos,
te alabemos, te adoremos, como lo hacen
los santos en el Reino de los cielos. Padre nuestro,
danos el pan cotidiano, dánosle hoy.
Danos el pan de tu Palabra para que nos
encontremos en diálogo; danos el Pan de Vida
para que nos alimentemos juntos. Padre nuestro,
perdónanos nuestras fallas, nuestras miserias
y danos un corazón grande que perdone
al hermano. Danos ser hoy servidores de la paz,
de la reconciliación y del perdón. Padre nuestro,
no nos dejes caer como comunidad, en tentación.
Danos un corazón abierto a la crisis,
a la prueba de cada hermano. Danos un corazón
sensible, capaz de llegar a tiempo en su ayuda.
Y no nos dejes caer en las manos del Malo,
del Diablo, del que divide y dispersa la comunidad.
Amén (Mt 6, 9-13).

6. Calla con tu corazón ante el Cristo Crucificado del éxodo

Una quinta manera de ponerte en la presencia de Dios, amigo, es la de situarte —siempre desde la fe profunda— ante un Cristo crucificado, ante una imagen, ante un icono, ante un póster, ante una fotografía. Puedes hacerlo en tu habitación, en la capilla, en una iglesia, o sencillamente en cualquier rincón que ayude a recogerse en oración. Se trata, amigo, de símbolos que te ayuden a ponerte en comunicación con Dios. Y un símbolo expresa una vivencia interior que el concepto, la palabra, no es capaz de expresar. La imagen del Crucificado, un icono con una candela encendida, se convierten en "un camino hacia la transcendencia", pues por medio de ellas tú transciendes hasta la realidad de Dios. Busca tu icono, busca tu imagen, busca tu cruz, tu Cristo crucificado y que acompañe tu oración de interioridad.

Es hermoso orar ante un Cristo crucificado. Sencillamente sentado ante él, mirándolo con amor, de una

94

manera constante y tranquila. Mirarlo en silencio. El mismo es palabra profunda de un Dios amor. El mismo es manifestación de Dios, pues *"cuando sea levantado en alto, todo lo atraeré hacia mí"*, dice el Señor. Quédate al inicio de tu oración en silencio ante el crucificado y verás cómo *"la sabiduría y el poder de Dios"* que vienen de la cruz irán calando tu vida. Haz presente desde la fe al crucificado que muere por amor, que ama hasta el extremo y dile, sentado ante él, o con la cabeza inclinada ante él:

Señor Jesús, crucificado por amor, yo te amo;
Señor Jesús, Hijo del Dios vivo, creo en ti;
Señor Jesús, Rey mío y Dios mío, lo espero todo de ti.
Quiero entrar en la llaga de tu costado y beber tu
vida; quiero tocar tus manos y tus pies
llagados y rendirme ante ti y darte mi vida
sin reservas. Señor Jesús, a ti la gloria, el honor,
el poder. Señor Jesús, que tu amor, que tu paz,
que tu vida empapen mi vida y yo nazca de nuevo.
Creo en ti, creo que me amas.
Aquí estoy, ante ti, en silencio como María
tu Madre, como Juan el discípulo amado.
Aquí estoy, aquí estoy ante ti, a solas contigo.

Puedes tener ante ti un icono de Cristo como Señor, como Salvador, como Maestro. Pon tus ojos en sus ojos, en su mirada. Si es de noche, ilumínalo con una candela, una lamparilla. Y a sus pies, calla, adora, contempla, espera. Experimenta en la fe que él está allí presente. Tu debilidad, tu pobreza necesita de esa imagen para recordarlo, para tenerlo cerca. Haz silencio. Serénate. Estate tranquilo. Di en tu corazón algo, o sencillamente, calla y ama.

Maestro bueno, estoy ante ti; enséñame a orar.
Jesús, Salvador de mi vida, quiero estar contigo.
Mi Dios y mi Señor, es bueno estar aquí contigo.
Jesús, Mesías, aquí estoy, porque de ti sólo viene la
salvación. Te amo, Señor de mi corazón,
de mi mente, de mi ser. Señor, tú lo sabes todo,
tú sabes que te quiero. Señor Jesús,
Hijo de Dios vivo, ten compasión de mí,
pobre pecador. Jesús, Jesús, Jesús...
¡Mi Dios y mi Todo!... Te amo.

Tal vez tu corazón sienta el deseo de orar con la vida, con los acontecimientos de la historia, con los signos de los tiempos, con esa presencia del Cristo crucificado hoy en la historia. Si estás en tu cuarto te puede ayudar un póster, una fotografía de un o subalimentado o de un viejecito abandonado, o de un rostro de un hombre o mujer sufrientes. Sitúate, con el corazón callado ante la imagen y mírala con amor. Acércate a ella con el corazón y transciende, vete hasta Dios. En tu corazón puedes orar con aquella oración de Jesús:

"Yo te alabo, Padre, Señor de cielo y tierra,
porque has ocultado estas cosas a los sabios
e inteligentes, y se las has revelado a los
pequeños. Sí, Padre, pues tal ha sido tu

voluntad. Todo me ha sido entregado
por mi Padre y nadie conoce quién es el Hijo,
sino el Padre; y quién es el Padre
sino el Hijo, y aquel a quien el Hijo
se lo quiera revelar" (Lc 10, 21-22).

Señor Jesús, revélate en tus pequeños;
manifiéstate y que yo descubra tu rostro
en los humildes, en los marginados,
en los despreciados. Señor Jesús,
dame un corazón sencillo y humilde,
para que me acerque a ti y a tus predilectos,
los pobres, y en ellos te reconozca crucificado hoy.
Señor Jesús, aquí estoy contigo, unido
a los hombres y mujeres que sufren
desde el silencio. Estoy aquí, Señor,
y en mi corazón quiero hacerte presentes a todos
los hombres que el dolor, la miseria,
el hambre... tiene crucificados.
Aquí estoy, en silencio, con ellos y contigo.

Quiero dejarte aquí también, amigo, otra oración
que te va a ayudar mucho a la hora de ponerte de cara
a Dios. Tómala con respeto, ábrete a su ritmo, entra
en sus entrañas y sal de ti mismo y "haz éxodo" como
lo hizo aquella joven llena de Dios. Es María, la mujer
llena de gracia, la habitada por Dios; es *Miriam, "casa
donde Dios mora complacido"*. Es una oración para
un corazón pobre, unido a los pobres de la tierra que
cargan con su cruz en continuo éxodo. En algún mo-

97

mento puedes comenzar tu oración, para situarte con paz ante Dios, con este cántico de María, la joven del éxodo, del camino hacia Dios y los hombres:

"Engrandece mi alma al Señor
y mi espíritu se alegra en Dios mi Salvador
porque ha puesto los ojos en la humildad de su
esclava, por eso desde ahora todas las generaciones
me llamarán dichosa,
porque ha hecho en mi favor maravillas el Poderoso.
Santo es su nombre y su misericordia alcanza
de generación en generación a los que lo temen.
Desplegó la fuerza de su brazo,
dispersó a los que son soberbios en su propio corazón.
Derribó a los potentados de sus tronos
y exaltó a los humildes.
A los hambrientos colmó de bienes
y despidió a los ricos sin nada.
Acogió a Israel, su siervo,
acordándose de su misericordia,
como lo había prometido a nuestros padres,
en favor de Abraham y de su linaje para siempre"
(Lc 1, 46-55).

Ante Dios, amigo, es el corazón de pobre, de "*ana-win*", el que cuenta, el que tiene cabida. Ante Dios, amigo, intenta siempre situarte con un corazón sencillo, como el de María. Un corazón que reconoce la grandeza de Dios y la pequeñez del hombre. Un corazón "situado en el polvo", un corazón "hambriento de Dios", un corazón de "esclavo", de aquel cuyo Dueño es el Señor. Un corazón que "se alegra, exulta, se goza" ante el Señor Dios. Un corazón "que confía en su misericordia". Un corazón que se coloca allá, al fondo, en el último lugar, como el publicano y le dice a Dios: *"Oh Dios, ten compasión de mí, pobre pecador"*. Porque el corazón orgulloso y altivo del fariseo, que oraba en pie, allá en el primer puesto para ser visto, no fue aceptado. Recuerda la parábola de Jesús, el Maestro (Lc 16, 9-14). La oración tiene una base fundamental, amigo; tiene una exigencia: la humildad. Por eso que ponerse en la presencia de Dios, de cualquier manera que sea, es reconocerle como Señor y es sentirse pobre, nada. Ahora puede comenzar el encuentro profundo entre Dios y tu corazón.

7. Acuérdate de que estás en la santa presencia de Dios: ¡Adórale!

Es este "primer espacio" del encuentro con Dios, hemos recorrido, amigo, un largo camino todo él orientado a ponerte en su presencia y sentirte pequeño, nada, ante el Dios de la vida que es Todo. Esta experiencia te sitúa en un clima profundo de "encuentro y diálogo". El está contigo y tú con él. Esta experiencia es el "espacio" donde ha de transcurrir tu oración personal. Esta experiencia es como el caminar por el bosque en un día de niebla, sin saber con certeza dónde estás ni a dónde te diriges y de pronto surge el sol con su luz y calor y todo lo transforma y todo cobra sentido y cercanía. La presencia de Dios en tu vida te hará ver las cosas *con los ojos de la fe*. ¡Serás hombre libre, créelo!

Aquí tienes a un hombre de fe profunda, Abraham. Un hombre a quien Dios dirige su Palabra y que caminará en su presencia apoyado en las llamadas de Dios que le hacen salir de su tierra. Abraham tiene el corazón, al caminar, en escucha constante de Dios. Porque ha descubierto en su vida la presencia del Absoluto, la presencia del Dios de su existencia y ya no puede vivir sin él. Aunque su Dios le conduzca al monte Moria donde tiene que cerrar los ojos para ver, rindiéndose en su nada, al Dios que lo es Todo. Abraham aprende, en presencia de Dios, a ver las estrellas de su cielo y a poner su pie descalzo en la arena de sus playas. Abraham adora a Dios mirando las estrellas, Abraham adora a Dios pisando sobre la arena.

Este es otro hombre que ha descubierto la presencia del Dios vivo en su vida en el desierto, en la montaña. La Llama ardiente le atrae; ya nunca se separará de ella. Moisés se despoja de sus sandalias y desnudo se postra ante el Dios Liberador que le envía a sus hermanos oprimidos en Egipto. Moisés subirá a la montaña donde verá a Dios cara a cara. Moisés entrará en la Tienda del Encuentro, bajo la nube misteriosa, donde Dios se le hace presente. Luego Moisés caminará con su pueblo hacia la Tierra Prometida guiado por la Nube misteriosa, donde Dios se hace presente y libera. Moisés, el gran orante, el gran contemplativo, es el liberador de la esclavitud. Dios, presente en su vida, se irradia en su rostro. Y se hace llama viva, como antorcha que guía el camino.

Otro hombre a quien Dios le va a cambiar de nombre en un encuentro cara a cara, peleando hasta el alba, un buen día va a descubrir una realidad que le acompañaba y él no lo sabía. Se llamaba Jacob y ahora Dios le llama Israel. Cuando una noche duerme en el campo y su cabeza descansa sobre una piedra se despierta y estremece de gozo y asombro. De su corazón brota esta experiencia: *"Así pues, está Dios en este lugar y yo no lo sabía"*. Y asustado dijo: *"¡Qué temible es este lugar! ¡Esto no es otra cosa sino la casa de Dios y la puerta del cielo!"* (Gn 28, 16-17). Una estela erigida como recuerdo de este encuentro será símbolo de esa presencia de Dios en su vida.

Así como el pájaro ha nacido para volar y el pez para nadar, no olvides, amigo, que el hombre ha nacido para orar, para vivir en presencia de Dios. Porque, dirá san Pablo, que *"en él vivimos, nos movemos y existimos"*. Cuando el orante, en sus encuentros con Dios, va experimentando esta presencia única y gozosa, por fin termina llevándola a su vida. Tu vida, amigo, será un camino recorrido en la presencia de Dios si sabes abrir tu corazón al Dios que habita dentro de ti, o al Dios que está presente en la Creación, o al mismo Dios presente en la comunidad, o en su casa, en el sagrario, o en los hombres sufrientes, esos Cristos crucificados de la historia de hoy. Camina en la presencia de Dios y te sentirás amado por Dios, te sentirás dichoso, feliz. Camina en su presencia y tu vida tendrá sol y frescura, camino y horizonte, profundidad y altura. Dios será para ti como tu respiración, como el latido de tu corazón.

Quiero recordarte, amigo, que el encuentro con Dios se expresa como un movimiento en tres tiempos: uno, la mirada de tus ojos de fe hacia Dios; otro, la mirada de tus ojos de fe hacia ti; y el tercero, la mirada de tus ojos de fe hacia Jesús. Por eso este ponerte en su presencia lo podríamos expresar así:

Con un sentimiento de fe—adoración—agradecimiento:

"Oh Dios mío, creo en ti; creo que estás
aquí presente. Tú eres Todo y yo nada.
Te adoro, te reconozco como el único
Señor de mi vida. Mi corazón se alegra,
se llena de gozo por tu presencia.
Mi corazón se alegra de que seas mi Dios.
Te doy gracias. Soy feliz con tu presencia en mi vida".

Con un sentimiento de humildad—anonadamiento—reconciliación:

"Ante ti, Señor, me siento pequeño, insignificante.
Soy tan poca cosa; soy como un niño.
Me siento pecador, me siento lejos de ti. Señor,
Tú eres mi Dios, mi Rey. Perdóname cuando
en mi vida no te reconocí como Señor,
cuando me alejé de ti, cuando me puse en tu lugar.
Quiero amarte, quiero poner en tus
manos el pobre barro de mi corazón.
Acéptalo, tú que eres bueno".

Con un sentimiento de aplicación—unión—invocación:

"Dios mío, me siento nada; pero confío en ti.
Me uno a Jesús tu Hijo y le pido que derrame
en mí su amor, su fuerza, su bondad en su Espíritu
Santo. Oh Dios, yo cuento con el amor

103

de tu Hijo dado en lo alto de la Cruz.
Me uno a él y con él te amo, con él creo en ti,
con él espero todo de ti. Con tu Espíritu Santo,
en mi debilidad, me siento fuerte. Confío,
me abandono, con Jesús, a ti, Padre".

Todavía más sencillo. Esos tres grupos de sentimientos interiores, uno que se refiere a Dios, otro a ti y el otro a Jesús, el único Mediador, y que, a su vez, cada uno tiene tres palabras unidas, puedes simplificarlo así:

Una actitud de fe: ante Dios.

Una actitud de humildad: ante tu corazón.

Una actitud de unión: ante Jesucristo.

Son los tres pasos profundos de la oración. La **fe** te abre la vida a Dios. Ante su santidad y grandeza, te sientes pequeño. Y la **humildad** hace la verdad de tu vida ante ese Dios grande. Entonces, al sentirte "nada" ante el que es "Todo", necesitas de Alguien, necesitas un Camino hacia Dios, necesitas un Mediador; ese Camino, ese Mediador es **Jesús**. Unido a él, confiando en él, con la fuerza de su Espíritu en tu debilidad levantas los ojos a Dios Padre y el Padre ya no ve en ti sino "al hijo amado en el Hijo" a quien estás unido. Y el Padre pone en ti, unido al Hijo predilecto, todas sus complacencias. Esta es la oración cristiana, esta es la clave de la oración de este *método de oración de recogimiento interior*. La fe, la humildad y la unión con Jesús hacen posible y profunda la experiencia del Dios vivo.

Quiero terminar, amigo, este "primer espacio del encuentro" con la oración de un hombre que buscó a Dios con pasión, de un hombre que vivió alejado de su presencia en sus años jóvenes, de un hombre que, cuando se dio cuenta de que Dios vivía en él, de que Dios le habitaba, se convirtió en el gran apasionado de Dios en la vida. Se llama Agustín y es de Hipona. Su oración reza así:

"¡Tarde te amé. Tarde te amé,
hermosura tan antigua y tan nueva!

Tarde te amé. Tú estabas dentro de mí;
Yo, fuera. Por fuera buscaba y me lanzaba
sobre el bien y la belleza creados por ti.

Tú estabas conmigo y yo no estaba conmigo,
ni contigo. Me retenían lejos las cosas.

No te veía ni te sentía ni te echaba
de menos. Mostraste tu resplandor
y pusiste en fuga mi ceguera.
Exhalaste tu perfume y respiré
y ahora suspiro por ti.
Gusté de ti y siento hambre y sed.
Me tocaste con tu amor y me abraso en tu paz.

¡Tarde te amé, tarde te amé...
por eso ahora quiero amarte por los
tiempos que perdí; porque a quien ama mucho,
mucho se le perdona, Señor mío y Dios mío!".

En el segundo espacio
del encuentro

Encuentro con Dios Padre en Jesús, único Mediador

Movido por el Espíritu de Jesús
ocúpate interiormente en aplicar tu mente y corazón
a la Palabra de Dios
en una actitud profunda de escucha.

1. El camino cierto y luminoso de la Palabra de Dios

Estás en la edad de buscar el camino de tu vida. Son muchos los caminos que se ofrecen a los jóvenes. Hay caminos de muerte, de destrucción. Yo me alegro contigo, amigo, porque buscas caminos de vida, de superación. Aún más: tú buscas en Jesús, el Camino para tu vida de creyente. Y el mismo Jesús te ofrece su estilo de vida, su Evangelio como "el camino" para tu vida. Me siento feliz contigo de compartir ese mismo camino. Me siento feliz, amigo, porque Jesús es el Camino que conduce a Dios, al Padre, a la Vida eterna, al Reino de los cielos. Jesús es camino cierto y luminoso.

El mismo Jesús te ha invitado a seguirle regalándote el don de la fe. Una fe viva y comprometida que día a día es preciso cultivar. La experiencia constante de la Palabra de Dios alimenta, fortalece, hace crecer en la fe. Y esa misma fe se vive en una doble dimensión: *un camino hacia Dios, que es la* **oración***, y un* *camino hacia los hombres*, que es el **amor**. Quiero hablarte de este camino maravilloso de la oración interior como alimento para amar a los hermanos. Quiero hablarte de la oración por medio de la experiencia de la Palabra de Dios como el camino cierto y luminoso que la Iglesia te ofrece para conocer, amar y servir a Dios. Aprende a orar con la Palabra de Dios y aprenderás a vivir desde una fe profunda, desde un servicio verdadero, desde un gozo y alegría interiores únicos. El camino de la Palabra de Dios es el camino de la manifestación de Dios, de su voluntad, de su proyecto de vida, de su salvación.

Cuando vayas a orar vete a hacer encuentro con Dios. Y Dios se manifiesta, sobre todo, en su Palabra de Vida. Métete en el ritmo de la Palabra, déjate llevar por ella, profundízala, asúmela, ámala, vívela y verás cómo tu fe, tu oración, tu servicio a los hombres, el anuncio del Evangelio, se hace fuerte en tu vida. La Palabra de Dios es una palabra de vida; es una palabra eficaz; una palabra dinámica, radical, personal; es una palabra llena de poder, de fuerza, de dinamismo; es una palabra que lleva dentro de ella semillas de vida eterna, llamadas profundas, proyectos sorprendentes, cielos y tierras nuevas. Es una palabra capaz de crear algo nuevo, de hacer nacer de nuevo, de resucitar una vida, de dar luz a unos ojos ciegos y de hacer andar a un paralítico. Es una palabra que fecunda el corazón de aquel que la acoge y le hace florecer en vida nueva. Es una palabra que lleva dentro de sí la vida de Alguien que se comunica, que se da, que se entrega, que se hace del que la recibe. Acoger la Palabra de Dios, amigo, es acoger al mismo Dios.

Yo te invito a que tomes el Salmo 118. Es un elogio de la Palabra de Dios. Allí se habla de ella a través de símbolos maravillosos. Ora con ese Salmo. Repite esos símbolos en tu corazón. Por ejemplo: *"La Palabra es luz para mis pasos"*. La Palabra es como una lámpara, una antorcha, un escudo... Intenta descubrir lo que la Palabra de Dios es para el creyente, para el orante, y verás cómo no volverás a dejar de orar, si no dejas de hacer lectura tranquila de la Palabra. Voy a atreverme a decirte que el problema de la oración personal es problema de tu experiencia diaria con la Palabra. Si dejas la Palabra de Dios, dejarás la oración, pues tu fe se debilitará. La Palabra de Dios despierta el corazón a la oración, a hacer encuentro con Dios. La Palabra de Dios, al tocar el corazón, le pone alas y le hace levantarse hacia el Dios vivo. Los grandes orantes han sido grandes enamorados de la Biblia, del Evangelio. Los orantes —y tú, amigo, eres uno de ellos— han hecho de la Biblia **el libro** de su vida. El orante busca el rostro de Dios sin cesar y sabe que donde Dios se ha revelado con fuerza excepcional ha sido en su Palabra de Vida. No tengas miedo. Entra por la Palabra en clima de oración y verás cómo tu vida cambia; cómo la misma Palabra te enseñará a orar, a descubrir la voluntad de Dios.

Es sorprendente el profeta de la Palabra, Jeremías. Es sorprendente cuando dice:*"Cuando encontraba palabras tuyas, las devoraba; tus palabras eran mi gozo y la alegría de mi corazón, porque tu nombre fue pronunciado sobre mí, Señor, Dios mío"* (Jr 15, 16). Devora la Palabra de Dios. Devora el Evangelio de Jesús. Pide al Espíritu que te dé hambre y sed de la Palabra de Dios. Abre tu corazón, como María, a la Palabra y acógela, guárdala, medítala y llévala a tu vida. Deja que la Palabra en la oración te penetre como la lluvia suave y empape tu tierra. Deja que la Palabra de Dios ilumine tu corazón y lo haga verdadero, transparente. Deja que la Palabra de Dios fortalezca tu voluntad y te haga un joven decidido, valiente, enérgico. Déjate conducir por la Palabra, y tu camino tendrá rumbo y meta.

Deja que tu vida tenga el sabor del fermento y la sal de la Palabra de Dios. Ella alegrará tu corazón, lo inundará de gozo y paz y serás el más dichoso de los jóvenes. Amigo, irás entendiendo la Palabra de Dios en la medida que la vivas, que la hagas tuya. Y entonces exclamarás, como Jeremías, el profeta: *"Tu Palabra es el gozo y la alegría de mi corazón"*.

No lo olvides, amigo; estás llamado a ser testigo del Señor Jesús anunciador de su Evangelio, profeta de su Reino. No olvides que los momentos fuertes de oración con la Palabra son espacios profundos para llenarse el corazón de Dios y su mensaje y luego llevarlo a los hombres. Necesitas ser amigo de Dios, confidente de Dios en la oración para que luego seas la luz del mundo y la sal de la tierra. El profeta, o pasa por la oración con la Palabra, o se convierte en falso profeta, anunciando palabras que halagan a los

111

hombres y no tienen fuerza salvadora. Orar la Palabra es adentrarse en el corazón de Dios y allí descubrir el corazón sufriente de los hombres. Sé creyente que testifique y que no se quede en mero informador.

Los jóvenes de hoy tienen que ser los verdaderos evangelizadores de los jóvenes. Tú tienes que ser, amigo, evangelizador de los jóvenes alguien enviado por Dios, apóstol, que lleve una Buena Nueva de Salvación. Déjate evangelizar por la Palabra de Dios en los encuentros a solas con Dios, y verás cómo luego, con tu testimonio y palabra, Jesús se hará presente entre los jóvenes cansados de tantas palabras vacías, sin sentido, esclavizadoras. Conviértete en "palabra viva" en la oración y acércate a los jóvenes que necesitan de tu palabra y diles, en nombre de Jesús: —*Joven, lo que tengo te doy: en nombre de Jesús el Señor, levántate, ponte en camino, vive"*.

No me digas que la oración es difícil, que no sabes cómo orar. Yo te indico este camino cierto, verdadero y al mismo tiempo luminoso de **orar con la palabra de Dios**. Toma en tus manos la Biblia, acostúmbrate a entrar dentro de su mensaje, de su vida y verás cómo lo difícil se hace fácil, lo escabroso se vuelve llano. La Palabra de Dios se ha hecho carne y ha habitado entre nosotros. Jesús mismo es la Palabra de Dios. Jesús es, en la Palabra, la gran revelación de Dios a los hombres. Esa Palabra que es la vida, la luz de los que la aceptan y la viven. *¿A quién iremos Señor?... "Tú sólo tienes Palabras de vida eterna"*.

112

Mi corazón joven en búsqueda, Señor Jesús,
se abre a la escucha de tu Palabra de Vida.
Aquí estoy, en medio de mi camino,
buscando Camino. Aquí estoy confuso tantas veces,
desorientado y sin rumbo, buscando tus huellas,
luz para mis pasos. Señor Jesús,
mis ojos apenas saben leer tu Palabra;
mis oídos casi no tienen capacidad de
escuchar tu voz; mi corazón está
aturdido de tantos ruidos, de tantas palabras
y está como sordo a tu voz. Señor Jesús,
abre los oídos de mi corazón al
mensaje de tu Palabra, y pon en mis pies,
cansados del camino, el aceite suave
de tu Palabra. Señor Jesús,
mi corazón no sabe escuchar, no sabe callar,
no sabe esperar. Mi corazón está desorientado,
está golpeado, está disperso.
Mi corazón no sabe de silencio, ni de soledad.
Mi corazón tiene miedo a encontrarse contigo,
con tu verdad. Señor Jesús, derrama,
como lluvia fresca, tu Evangelio en la tierra
de mi pobre corazón. No dejes que el sol,
ni los espinos, ni las piedras ahoguen tu semilla.
Haz de tu Evangelio, Buena Nueva para mi vida
y entra en ella tú que eres el Camino,
la Verdad y la Vida. Entra en mi vida,
que quiero acogerte como buen Maestro,
entrar en tu escuela y aprender de ti
que eres dulce, manso y bueno de corazón.
Maestro: enséñame a orar.

2. Jesús —Palabra de Dios—, centro de la oración cristiana

Jesús desafía un día a sus seguidores: "¿Quién dice la gente que soy yo?... Y vosotros, ¿quién decís que soy yo?". Pablo, en el camino de Damasco, en el encuentro con Cristo resucitado, le pregunta:"Señor, ¿tú quién eres?". Y ésta es la gran pregunta de la fe. Acércate a Jesús y descubre a ese hombre, nacido de mujer, y a ese Dios, nacido de Dios. Acércate a Jesús de Nazaret y descubre en el hijo del carpintero al Mesías esperado. Acércate a Jesús y descubre que es "Dios que salva". Acércate a Jesús y deslúmbrate de que Alguien tan humano sea divino y que alguien divino sea tan humano. La oración es la gran experiencia de Dios, en Jesús, sobre todo a través de la Revelación, de la Palabra. Este es, amigo, el momento, el espacio de salir de ti y hacer éxodo hacia el Jesús de la Historia de la salvación, el Jesús de los Evangelios. La oración es el clima para ese encuentro entrañable y misterioso.

No te quedes con el "Jesús de la historia"; acércate también "al Cristo de la fe". No te quedes al pie del Cristo Crucificado, colgado del madero. Llega al sepulcro y sorpréndete de que no está allí, de que ha resucitado. No quieras meter a Jesús en tus conocimientos, en tu cabeza. Rasga el límite de tu capacidad de comprobar las cosas y vete más allá de lo que se comprueba; entra en lo que "se prueba", en lo que se toca, se vivencia. Encuéntrate en la oración con **alguien**. Alguien por quien suspiró el pueblo antiguo; Alguien con quien se encontró el Pueblo nuevo; alguien que vive hoy en su Iglesia resucitado. Jesús, *el Maestro, está ahí y te llama*. Vete a la cita. Alégrate de poder acercarte a él, desde la fe, pero en la realidad profunda de su Palabra de Vida. Tócala y le tocarás.

Si es cierto que Cristo está en lo profundo de ti; si es cierto que vive en la Historia; si es cierto que está en los hombres que sufren hoy; si es verdad que está en medio de la comunidad de creyentes; si es cierto que está presente en el silencio de un sagrario; si es cierto que se hace presente, salvando a los hombres en los sacramentos; si es cierto que lo celebramos muerto y resucitado en la Eucaristía; si es cierto que está allí donde las personas se aman sin intereses... es cierto también que está con una presencia y fuerza especial en la Palabra de Dios, en la Buena Nueva del Evangelio. Yo te digo amigo, que es muy difícil verle en la comunidad, o en la Eucaristía, o en el pobre, o en tu corazón... sin antes haberlo descubierto en la *Epifanía*, manifestación de la Sagrada Escritura. Sin esa fe que surge de la experiencia de la Palabra de Dios es duro ver a Jesús en el pobre, y al acercarte a él te puede nacer la rabia; es difícil ver a Jesús en la Eucaristía, y al querer celebrarla se puede quedar en rito distante; es difícil leer en los acontecimientos la presencia del Cristo resucitado si a ellos no se llega con la luz de su Palabra orada. La experiencia del Jesús de la Biblia, del Evangelio, de las Cartas de Pablo, de los Hechos de los Apóstoles, es camino de Evangelización, de encuentro con el Señor, para luego, adheridos a El en fe, profundizar su experiencia en la profundización de esa misma fe. En el Evangelio, Jesús vive hoy entre los hombres. Devora el Evangelio.

Recuerda que a la experiencia de Dios en la oración no vas a encontrarte con unas ideas, ni a reflexionar sobre algunas verdades, ni a leer e interiorizar algunos textos. No; a la oración vas a encontrarte con Jesús. Jesucristo, el Señor, que se convierte en el **lugar** de encuentro de Dios. Jesucristo, el Salvador, que se convierte en **centro** de ese encuentro. Jesucristo, el Hijo de Dios vivo, que se convierte en el único **mediador**. Jesucristo, el Enviado del Padre, que se convierte en el único **acceso** a Dios. Jesucristo, el Hijo del Hombre, que se convierte en **manifestación** de Dios al hombre. Jesucristo, el Mesías, que se convierte en **salvación** del hombre. Tu oración no es vacía; está llena del Señor Jesús. Tu oración no es fría, ausente; tiene la presencia entrañable del Señor Jesús. Tu oración no es distante; tiene la cercanía del Señor Jesús. Tu oración no es un grito al Dios de las nubes; es una palabra suave al Dios Padre, cercano, en el Señor Jesús. Tu oración no es huérfana, desencarnada, desértica; tiene lo de arriba y lo de abajo, lo descendente y ascendente: Jesús, Dios y hombre. Por eso la Biblia es Palabra de Dios, el Evangelio es Buena Nueva; y no existe la Palabra, no existe la Buena Nueva sin alguien que la pronuncie, alguien que comunique esa Palabra: Jesús. La oración cristiana tiene un rostro: Jesús. Tiene identidad: Jesús. Tiene el Acontecimiento central de la historia: Jesús.

Quiero recordarte, amigo, esos encuentros con Jesús en el Evangelio. Son norma de nuestros encuentros con él. Te invito a que leas despacio estos encuentros y te des cuenta cómo se realizan. Te invito a que desentrañes la figura de Jesús en cada encuentro y la actitud del hombre que se acerca a Jesús. Te invito a que te acerques a esos encuentros y seas tú el **protagonista,** que seas tú el que te encuentras con Jesús hoy, a través de su Palabra y con tu historia personal. Quiero traerte algunos:

—Orar es encontrarte con la persona de Jesús, como Nicodemo —Jn 3, 1 -21—, y *"Nacer de nuevo"*.

—Orar es dejarse sorprender por Jesús, como la Samaritana —Jn 4, 1-13—, y beber *"El Agua viva"*.

—Orar es entrar en la misericordia de Jesús como la mujer adúltera —Jn 8, 1-11— e *"Irse en paz"*.

—Orar es dejarse tocar por Jesús en los ojos ciegos y caminar en fe, como el Ciego —Jn 9, 1 -41—, diciendo *"Creo"*.

—Orar es entrar en la experiencia de vida de Jesús como Lázaro —Jn 11, 1-44—, y decir *"Tú eres la vida"*.

—Orar es dejarse en las manos de Jesús para que te lave como a Pedro —Jn 13, 1-16—, y *"abandonarse por entero"*.

— Orar es buscar en el dolor, sin ver, como María Magdalena —Jn 20, 11-18—, y confesar luego: *"Rabbuni", "Maestro"*.

—Orar es descubrir al Señor en medio del fracaso del lago, como Juan —Jn 21, 1-14—, y decir: *"Es el Señor"*.

—Orar es decirle a Jesús que le quieres, hasta llorar, como Pedro —Jn 21, 15-21—, y seguir diciendo: *"Te amo"*.

—Orar es superar los imposibles hasta llegar a Jesús como el tullido —Mc 2, 1-12—, y *"marchar con la camilla"*.

—Orar es creer que, aunque Jesús duerme, está a tu lado como en la tempestad —Mc 4, 35-41—, y *"tener fe sin miedo"*.

—Orar es tocarle a Jesús en medio de las gentes y ser descubierto como la hemorroísa —Mc 5, 25-34— y decir *"Soy yo quien te tocó"*.

—Orar es dejarse conducir por la mano de Jesús, como Bartimeo —Mc 8, 22-26—, y *"ver de nuevo"*.

—Orar es subir a la montaña y ver a Jesús resplandeciente —Lc 9, 28-36—, y decir: *"Bueno es estarnos aquí"*.

Adéntrate en el misterio de Jesús, desentraña ese mundo nuevo que es su Persona; déjate tocar por sus signos, milagros; ábrete a su Palabra; sigue sus pisadas por el camino, de aldea en aldea; descubre en él su ternura, bondad y misericordia; apasiónate por su verdad y libertad; déjate cuestionar, interrogar por su programa de vida; asómbrate ante su servicio al Reino; fascínate ante su amor profundo y fiel al Padre y a su voluntad; entra en el templo o en la sinagoga con él; siéntate junto al mar o en la montaña a su lado; siéntete pobre entre los pobres y enfermo entre los enfermos; reacciona ante sus denuncias y cree que las dice para ti; llora de gozo y paz ante la proclamación de las Bienaventuranzas; hazte niño en su compañía y déjate conducir por sus enseñanzas y estilo de vida. Jesús está ahí, en tus manos, ante tus ojos, en el Evangelio, y quiere entrar en tu vida, en tu corazón al ritmo de su Palabra. Ora su Persona y te sentirás hombre nuevo. En tu encuentro con Dios busca siempre el lugar donde se manifestó: **Jesús**. Haz de Jesús el **centro** de tu encuentro con el Dios de la vida.

3. El espíritu de fe, actitud profunda ante la experiencia de la Palabra de Vida

Si quieres apasionarte por Jesús, apasiónate por su Evangelio; si quieres hacer de Jesús el Centro de tu vida, céntrate en el Evangelio; si quieres "tocar con el corazón" a Jesús, cultiva en el fondo de tu ser la fe como semilla de vida, de vida nueva en Cristo Jesús. Sin fe la Palabra de Dios apenas te dirá nada; sin fe la oración se convertirá en algo pesado, monótono, sin sentido. Sin fe, huirás de la oración, aunque te presumas creyente; sin fe la Palabra de Dios no te atraerá, no te cautivará, no será para ti más que una palabra cualquiera. Con fe sentirás a Dios cercano a ti y te fascinará adentrarte en él; con fe oirás a Dios que te habla cuando leas su Palabra; con fe, con ojos de fe, Jesús será el Señor y el Salvador de tu vida.

No quiero hablarte de la fe, de esa actitud de fe profunda, de esos sentimientos de fe interiores, de esas disposiciones sinceras de fe, "del espíritu de fe", de una manera teórica, conceptual. Quiero llevarte a la experiencia de Dios en la Palabra, en una vivencia, experiencia, compromiso de fe. No se trata de hablar de la fe, que se proclama con la boca, que se expresa en conceptos, en creencias. Quiero llevarte a "una situación de fe y de no-fe" para que, por el no, entiendas el sí. Quiero ayudarte a entender lo maravilloso de creer, de confiar, de abandonarse en Dios desde Jesús. Quiero acercarte a una experiencia que unos hombres de "poca fe" tuvieron en Jesús en un momento tope, límite, sin fondo. Y quiero traerte a esa situación un Salmo para buscar apoyo, seguridad, confianza, firmeza en la vida. Orar con Jesús a través de un "hecho", apoyado con "un salmo". La Palabra de Dios remite al Salmo; o el Salmo puede conducir a la Palabra. Ambos se apoyan. Ambos se complementan. Ambos vienen en tu ayuda para que descubras a Jesús como la respuesta a tu vida, como la roca firme en tu existencia.

El hecho del Evangelio es de Marcos 4, 35-41. Y el Salmo es aquel que comienza así: *"El Señor es mi Pastor, nada me falta"*. Es el Salmo 22. Vamos a hacer juntos esta experiencia de la Palabra en la que Jesús se manifiesta. Vamos a entrar dentro de su "mensaje", dentro de su "espíritu", dentro de su "alma" para poder llegar a la experiencia de Dios. El hecho de la tempestad es un camino hacia la fe. Es, como dice Jesús, al atardecer *"pasemos a la otra orilla"*. La fe es situarse en la orilla de Dios. Jesús sube a la barca con sus seguidores. Y de repente se levantó *"una fuerte borrasca"*. Las olas golpeaban la barca y la cubrían. Imagínate el hecho. Contempla a los discípulos luchando, sin Jesús, con sus propios medios y fuerzas, contra las olas. Se agotan. Se ponen nerviosos. Se llenan de miedo. Sienten la inseguridad. Aquello es un imposible. Y esta es la actitud del hombre que no tiene fe. Del hombre que sólo cuenta en la vida con sus fuerzas, del hombre que no se apoya en Dios, del hombre que llega a tocar el límite porque le falta la fe *"que traspasa montañas"*. Sin fe, con sus solas fuerzas, el hombre se siente amenazado.

Dice el texto que *"Jesús estaba en popa, durmiendo sobre un cabezal"*. Jesús al lado, pero distante. Jesús en la misma barca, pero sin contar con él. Jesús "dormido", mientras no se le toque, no se le despierte con la fe. Y ahora comienza el camino de la fe: *"Maestro, ¿no te importa que perezcamos?"*. A Jesús sí que le importa lo nuestro, pero quiere que contemos con él. Jesús se pone de nuestro lado cuando nos ponemos nosotros del suyo. Increpa al viento y dice al mar: *"¡Calma, enmudece!"*. Y el viento se calmó y vino una gran bonanza. Este es Jesús, el Señor, cuando en la vida contamos con su Persona, con su poder. Esta es la fe: poner la vida, poner los problemas, las situaciones de cada día en manos de Jesús. Esta es la fe: saber que Jesús está conmigo y que con él todo es posible, todo tiene respuesta, todo tiene solución. Esta es la fe: contar con el poder de Jesús, su Espíritu Santo. Y este es el "espíritu de fe": vivir apoyado, confiado, abandonado en el Espíritu de Jesús que hace de lo imposible, posible. Y este es el mensaje de Jesús: *"¿Por qué estáis con tanto miedo? ¿Cómo no tenéis fe?"*. Y al final de la experiencia se sienten pequeños, anonadados, rendidos ante el Señor. Y sienten en su corazón una gran admiración por aquel hombre, por aquel que aún no conocen, por aquel que les hace exclamar: *"Pues, ¿quién es éste que hasta el viento y el mar le obedecen?"*.

Cuando te acerques en la oración a la Palabra de Dios, "despierta" lo que lleva dentro, entra en "su mensaje". Y toca con tu corazón esa Palabra, al mismo Jesús que lleva dentro, para que se manifieste en tu vida, para que se haga presente su poder lleno de ternura y compasión. Ten la seguridad de que al Maestro le importa mucho tu vida porque te ama. Al Maestro le importan mucho tus problemas, tus tensiones, tus dudas, tus situaciones conflictivas. Al Maestro le interesas tú. Cuando ores no te quedes en la oración con "tu esfuerzo" de palabras y más palabras, de reflexiones y más reflexiones. Cuando ores acércate a Jesús, llámalo, ponte en su presencia, grítale que venga a tu vida, y con él enfrenta los problemas. Contar en todo con Jesús. Ver todo con los ojos de Jesús. Sentir y amar, actuar y pensar como Jesús, eso es tener fe. Y nunca Jesús en el Evangelio exulta tanto de gozo como cuando se encuentra a alguien que tiene fe: *"Oh hombre, oh mujer, grande es tu fe; que se haga según crees"*.

Quiero seguir acercándome a la Palabra de Dios contigo en esa actitud de fe, en esta disposición interior de fe, en ese sentimiento interior de fe. Acercarme contigo con un corazón de niño, de siervo de pobre de corazón. Y esperar contra toda esperanza de la misericordia de Dios, su ayuda, su gracia, su protección. Te invito a que ores con el Salmo 22; un Salmo de un corazón que cree, que espera de Dios todo, que confía en su amor y se abandona a sus cuidados. Se deja conducir, como las ovejas por el pastor, hacia verdes prados hacia aguas limpias y refrescantes. El espíritu de fe es capaz de hacer ver con los ojos cerrados, es capaz de alegrar el corazón del hombre en medio del dolor, es capaz de encontrar salida ante una situación límite. Porque cuenta con el Espíritu de Jesús, el Espíritu Santo, que es la fuerza, el Poder de Dios en la debilidad del hombre.

Contigo, Señor Jesús, voy en la barca.
A veces el mar de mi vida se levanta bravo,
recio y la tempestad juega con mi barca.
La borrasca, Señor, de mis miedos y fracasos;
la borrasca, Señor, de mis inseguridades; la borrasca,
Señor, de mis conflictos y tensiones.
Despierta, Señor, ven en mi ayuda.
Despierta, Jesús, y conduce mi barca que zozobra
en la tempestad. Manda, Señor que las
olas se rompan ante tu presencia; tú que eres el Señor
y el Salvador de los hombres. Dame fe,
Señor Jesús, para que cuente contigo,
para que me fíe de ti, para que me abandone
en la seguridad de tu amor y misericordia.
Dame tu Espíritu para que mi fe sea firme
como la roca. Señor Jesús,

contigo no tengo miedo porque tú me conduces,
porque eres mi Pastor y nada me falta.
Tú das a mi alma tu paz y tu sosiego,
tu luz y tu ternura. Conforta mi pobre corazón.
Señor Jesús, aunque pase por valles tenebrosos,
aunque pase por noches oscuras,
guíame por el sendero que conduce a la vida.
Nada temo, porque tú vas conmigo.
Tu vara y tu callado me dan seguridad.
Yo sé que eres bueno y que unges mi corazón
con tu gracia. Rebosa mi copa con el don de tu fe;
llena mi vida con el don de tu Espíritu.
Tu gracia y tu bondad, Señor, me acompañarán
siempre a lo largo de mi vida.
Tú serás siempre mi Morada, mi refugio,
mi casa donde me cobijo. Señor Jesús,
guía mi vida, fortalece mi fe, ilumina mis noches.
Gracias, Señor, porque contigo el camino
se hace llano y nada me falta. Eres mi Pastor,
eres mi Guía, eres mi Maestro.

4. Las tres miradas "con los ojos de la fe" en el encuentro oracional

Dice Jesús en el Evangelio: "*Felices los limpios de corazón porque verán a Dios*". En el encuentro con Dios el orante busca ver a Dios, busca ver su rostro. Los "ojos de la fe" son ese corazón limpio que abre camino hacia Dios. Los ojos de la fe son esa luz interior del Espíritu Santo que conduce a la Verdad plena, Cristo el Señor. Los ojos de la fe son esa mirada sencilla y atenta, como la de un niño que se olvida de sí y "se cuelga" y se "deja ir" mirando a los ojos de su madre. Los ojos de la fe son el secreto de ese encuentro con Dios.

Mira a Dios con una mirada sencilla. La **mirada sencilla** de tus ojos expresará la pureza, la transparencia, la verdad y entereza de tu corazón. Mira a Dios con una mirada sencilla y no preguntes por lo que no entiendes; y no busques lo que nunca hallarás; y no compliques el rostro de Dios cubierto de misterio; y no te empeñes en ver con la cabeza cuando lo invisible, lo oculto, lo misterioso sólo se alcanza a ver con el corazón. Mira a Dios con esa **intuición**, con esa **disposición interior**, con ese **sentimiento profundo**... y llegarás a verlo, a experimentarlo, a sentirlo cercano a ti. Simplifica tu oración con unos ojos de fe que miran con una mirada sencilla. ¡Dios es sencillo, puro, limpio! ¡Dios es!

Mira a Dios con una mirada atenta. La **mirada atenta** quiere expresar todo un mundo de interés, de dedicación, de orientación, de amor. La mirada atenta quiere expresar contemplación, fascinación, admiración. Una mirada atenta a Dios en tu oración quiere decir que estás centrado en él, que es lo que te interesa, que lo demás lo olvidas, que él es el Valor, el Centro. Una mirada atenta quiere decir que estás **enamorado** de Dios, que pones tus ojos en los suyos y te sientes feliz mirándole a él. Es una actitud, una disposición de **olvido de sí mismo**. Es tan fácil y tan sencillo. Pero se hace difícil si Dios no es tu Tesoro, pues "*donde está tu Tesoro allí está tu corazón*".

Que tus ojos en la oración sean "ojos de Evangelio", que sean "ojos de *anawin*", que sean "ojos de fe". Y que en el encuentro oracional busques, con tus miradas, a Dios, al pobre que tú eres, y a Jesús, el Señor. Esas son las tres miradas del orante, del que se acerca a Dios. Pon tus ojos, tu mirada sencilla y atenta en Dios. Y mírale sin prisa hasta que descubras que es tu **Padre**. Pon tus ojos en tu pobre corazón y no dejes de mirarlo hasta que descubras que eres "hijo de Dios". Pon tus ojos en Jesús y no dejes de mirarlo hasta que descubras que él es tu **Salvador y Señor**.

Siéntete feliz. Siéntete alegre porque tus ojos han descubierto su cielo, su mar, su tierra, su horizonte. Mira a Dios y dile: *"Padre"*. Mira tu corazón y dile: *"Soy hijo de Dios"*. Mira a Jesús y dile: *"Eres mi Señor y Salvador"*.

Tal vez me preguntes: ¿Dónde quedan los hermanos? ¿Dónde queda el sufrimiento de los hombres? ¿No hay una cuarta mirada en ese encuentro con Dios? Yo quiero ser sincero contigo, amigo. Quiero responderte con la oración de los Salmos. El salmista fundamentalmente abre su corazón a Dios. Busca a Dios. Suspira por Dios. Se queda él y Dios a solas. Quiero responderte con la oración de los grandes orantes: ellos buscaban la soledad y en su oración se quedaban con el *"Dios mío"*, se quedaban en silencio en su presencia. Porque a la oración el creyente va buscando a Dios; pero no va solo: lleva en su corazón todo lo que ama, todo el dolor de los hombres a quienes ama. En la oración el orante se sitúa ante Dios y le mira; y Dios se sitúa ante él y le mira en su corazón y allí ama y acoge todo lo que tiene lugar en el corazón del orante. La oración profunda se da entre Dios y el hombre en Jesús. Y no te preocupes de decirle cosas y cosas al Señor, porque el Padre ya sabe todo lo que tú deseas que sea atendido. Simplifica tu oración; sé sencillo en ella; calla y atiende a Dios, que el resto te vendrá por añadidura. No te pases en la oración el tiempo pensando en los problemas que te angustian, preocupan, tuyos o de los otros. No tengas miedo: olvídate de todo y quédate sólo con Dios y en él lo encontrarás todo. ¡No tengas miedo!

Quiero ser verdadero contigo. No confundas el serenarte, el relajarte, el concentrarte, con "oración cristiana". No confundas el Zen, el Yoga, o la Meditación trascendental, con sus técnicas y objetivos, con la oración cristiana. En ese tipo de experiencia que busca fundamentalmente la quietud, la paz, el sosiego el acento está muy puesto en el hombre, en el vacío, en el silencio. En la oración cristiana el acento está puesto en la mirada a Dios, en Cristo. Cristo es el Centro, es Alguien a quien se busca. En esas experiencias es un gurú, un maestro el que marca el método y hay que ser muy "ajustado" a las normas. En la oración cristiana el único Maestro, el único que **guía** el corazón es el **Espíritu de Jesús**. Y el método más seguro para no perderse en cosas, sentimientos, luces o visiones raras... es la **Palabra de Dios** que soporta tu encuentro con Dios. Amigo, discierne, haz la verdad en tu vida de oración y no llames oración cristiana a cualquier método, a cualquier movimiento espiritual.

Las tres miradas de la oración cristiana te conducen a una "experiencia trinitaria" en tu oración, en tu vida. Porque en tu pobre corazón se realiza la experiencia. Tu corazón movido por el Espíritu Santo se une a Jesús y Jesús contigo ora al Padre. El Padre se manifiesta a tu corazón por medio de Jesús, el Hijo, en el Espíritu Santo. Céntrate con tu mirada fundamentalmente en **Jesús**. Y háblale, mírale, quiérele, escúchale. Pide a su Espíritu que te acerque a él, que te una a él, que ore en ti. Y Jesús será quien haga subir tu oración al Padre. Si deseas hablar al Padre, únete a Jesús y hazlo en unidad con él, movido por su Espíritu. Y si deseas orar en el Espíritu, no olvides que es el Espíritu del Padre y del Hijo. Siempre la Trinidad. *Siempre con Jesús al Padre, en el Espíritu.*

129

Tal vez al principio de tu experiencia de oración pongas mucho la mirada en ti, en tu pobreza, en tu pecado. No te importe. El Señor quiere que llegues a conocerte para que sepas lo que eres y así llegues a una humildad verdadera. Verás, si eres fiel a orar con la Palabra, cómo tu mirada será luego centrada en Jesús. Y cómo Jesús te irá descubriendo, poco a poco, el rostro del Padre. Es maravilloso amigo, orar con Jesús; es maravilloso saber que el Padre siempre atiende la oración del hijo; es maravilloso saber que el Espíritu viene en ayuda de nuestra debilidad y ora en nosotros y con nosotros. Y no tengas miedo a hacer una oración "desencarnada" de la realidad. ¿Acaso Dios, en Jesús, no es la gran realidad? Sólo seremos capaces de ir a la realidad de los hombres y dar la vida por ellos si antes hemos vivido la experiencia de Dios en nuestro corazón. No temas, porque *"quien está unido con Jesús, ése da mucho fruto"*. Lo malo, lo que no es real, verdadero, es ir a los hombres y querer ayudarles con el corazón vacío de Dios.

Quiero terminar de hablarte de estas tres miradas con una experiencia que puedes hacer. Es muy sencilla. Repite despacio cada una de esas miradas sencillas y atentas. Aunque ahora sean más de tres, luego las simplificaremos en tres.

—Una mirada de fe: *"Dios mío, pero aumenta mi fe"*.

—Una mirada de adoración: *"Señor mío y Dios mío"*.

—Una mirada de agradecimiento: *"Oh Dios, eres bueno; gracias"*.

—Una mirada de humildad: *"Ten compasión de mí, Señor, que soy pecador"*.

—Una mirada de anonadamiento: *"Yo no soy nada; tú, Señor eres todo"*.

—Una mirada de reconciliación: *"Señor, perdóname, he pecado contra ti"*.

—Una mirada de aplicación: *"Me uno a ti, Jesús; cuento con tu gracia"*.

—Una mirada de unión: *"Jesús, ya no soy yo quien vive; quiero que tú vivas en mí"*.

—Una mirada de invocación: *"Jesús dame tu Espíritu para que me transforme en ti"*.

Pero vamos, amigo, a simplificar, como lo hemos hecho al hablar de la presencia de Dios, todas esas miradas, y vamos a sintetizarlas, a condensarlas en tres. En cada una de estas tres miradas entran en juego las otras. Nos quedamos con las tres miradas:

—La mirada de fe: *"Creo, creo, Señor, y te adoro y me siento feliz ante ti"*.

—La mirada de humildad: *"Aquí estoy ante ti, tan pobre, Señor; soy nada, perdóname"*.

—La mirada de unión: *"Señor Jesús, me uno a ti, dame tu gracia, tu Espíritu; tú eres mi Salvador"*.

Son las tres miradas en que nuestros ojos de la fe se posan: Dios, el corazón del hombre, Jesucristo.

5. La mirada sencilla y atenta a Dios Padre

Quiero acompañarte, amigo, en esta experiencia oracional, apoyada en la Palabra de Dios, haciendo ejercicio de estas "tres miradas". Ahora nos detenemos en la mirada atenta y sencilla a Dios Padre. La oración la centramos en el Cristo crucificado y el texto de Lucas 23, 33-56, nos ayuda en la experiencia. En esta primera mirada vamos a poner los ojos en Dios Padre que llamó a Jesús, le dio un proyecto para que lo realizase y así llevase a cabo el plan de salvación de los hombres. Después de ponerte en la presencia de Dios, con paz y amor, toma este texto y léelo despacio. Quédate ante el Cristo crucificado. Entra dentro de los sentimientos que Cristo tenía en esos momentos en su corazón. Descubre *"sus disposiciones interiores"* y hazlas tuyas. Descubre los sentimientos del corazón del Padre y quédate ante el Cristo crucificado en silencio profundo o repitiendo alguna "palabra interior", alguna frase de ese hecho que más te ha llamado la atención. Una "palabra interior" que en este momento se refiera al Padre. Por ejemplo: "*Padre, en tus manos pongo mi vida*". Repítela despacio. Cállate y vuelve a repetirla. O sencillamente haz un diálogo con el Padre del Cristo crucificado. Háblale.

*Aquí estoy, Padre, ante tu Hijo colgado
del madero de la cruz. Estoy en silencio, Padre,
como tú también lo estás. Como tus ojos
contemplan a tu Hijo, clavado en alto, yo también,
Padre, quiero poner mis ojos en el Crucificado.
Padre, no entiendo nada y te digo con Jesús,
tu Hijo, que por qué le has abandonado,
por qué le has dejado solo. Yo adoro, Padre,
tu voluntad para con tu Hijo Jesús.
Y creo de corazón que este es el camino,
este es el proyecto que tú le entregaste para
salvación del hombre. Padre,
fortaléceme en la fe para que
acepte lo que no comprendo; dame un
corazón sencillo, humilde, para que vea en tu
Hijo en Cruz una Obra de amor: la Obra
más bella, jamás realizada.
Padre bueno y misericordioso, que has
tenido compasión de nosotros entregando
a tu Hijo a la muerte, y una muerte de Cruz,
dame un corazón capaz de responder
a tu amor hasta el extremo, amando a tu Hijo
entregado por muchos, hasta el extremo.
Oh Dios, enséñame que tus caminos no*

son nuestros caminos; que tus planes no son
nuestros planes; que tus proyectos van
más allá de los nuestros. Oh Dios,
cercano a los hombres en Jesús,
gracias porque por medio de tu Hijo crucificado
nos has perdonado; gracias porque
en tu Hijo crucificado nos has reconciliado contigo;
gracias, porque en tu Hijo crucificado
se ha manifestado tu gloria, tu gracia, tu vida,
tu amor y lealtad. Gracias, Padre.
Estoy aquí ante el crucificado y siento
en él tu amor inmenso por mí; estoy aquí
y siento presente tu corazón de Padre
abierto de par en par, emanando luz y amor,
en tu Hijo crucificado. Gracias, Padre,
por el Don de tu Hijo; gracias, Padre,
porque en tu Hijo crucificado nos has hecho,
de nuevo, hijo; gracias, Padre, porque en tu Hijo
crucificado nos has dado un hermano mayor;
gracias Padre, porque has estado grande
con nosotros y estamos alegres.
Te alabo, te bendigo, te quiero porque
nos has salvado. Gracias.

Te invito a orar despacio, muy despacio, parándote con frecuencia, con esa oración inspirada en el texto. Te invito a que descubras en ella esa serie de *"sentimientos"*, de *"actitudes"*, de *"disposiciones interiores"* que están dentro de ella. Sin que pienses *"ahora voy a expresar mi fe, ahora expreso adoración, ahora expreso humildad..."* van saliendo esos sentimientos que la Palabra de Dios ha provocado y la fe manifiesta. Deja que salgan, vuelve sobre ellos; deja que el Espíritu guíe tu oración. Esta mirada al Padre, ante el Cristo crucificado, puede dejar en ti *"una disposición interior de abandono"*. Abandono en las manos del Padre. Y puedes quedarte ante el Padre, sencillamente, repitiendo en tu interior: "Padre, en tus manos entrego mi vida". *"Padre, como Jesús, te doy mi vida"*. *"Padre, como Jesús te glorifico y quiero llevar a cabo la obra que tú me has encomendado"*. Que la paz, que el amor, que la serenidad inunden tu corazón. La paz, el amor, la serenidad del Padre.

Cuando en la oración miras al Padre en tu corazón, irán surgiendo *"disposiciones interiores"* de confianza en él, de abandono a sus manos, de sentirte amado por él, de saberte hijo, de creer que nada de lo que te pase te puede dañar porque el Padre vela por ti y quiere para ti lo mejor. En tu corazón de creyente irás sintiendo que no estás solo, que nada te falta, que el Padre te quiere y te cuida. Este es el fruto de la oración. Esta es la "continuación" de la oración en la vida. Estos son los nuevos cielos y las nuevas tierras que "una mirada sencilla y atenta" capta, ve, descubre. ¡Y el corazón goza y se alegra!

6. La mirada sencilla y atenta al corazón de pobre

En el encuentro con Dios eres "tú" quien se encuentra con él. Por eso tienes que situarte ante él en espíritu y verdad; tienes que situarte ante él con tu historia personal, con tus raíces, con tus grandezas y miserias, con tus ilusiones y fracasos, con el sol y sombra de tu vida. Es posible orar así cuando se baja al corazón y se descubre el pobre barro de que estamos formados. Orar desde la fragilidad personal desde la debilidad, es tender las manos en espera de ayuda, de salvación. Orar con un corazón de pobre es sentirse sin poderes, sin recursos personales para resolver situaciones profundas en la vida. Por eso, conocerse, conocer el propio corazón, es situarse ante Dios con humildad, con verdad. Mira a tu corazón. Mira y descubre sus tendencias hacia el pecado. Mira y descubre las inclinaciones al mal que anidan en él. Mira las cicatrices, las heridas, los golpes que la lucha de la vida ha ido dejando en él. Cuenta siempre con tu corazón a la hora de acercarte a Dios. Y pon en sus manos tu pobre barro, que él, buen alfarero, lo va a transformar en una bella obra.

Esta mirada a tu corazón hazla con paz, con confianza, con fe. Ten la certeza de que el Señor te quiere así, como eres, y de que espera que te conviertas a él, de que te empeñes en el cambio de vida. Al sentirte pecador, no te quedes en tu pecado, sino pon los ojos en "lo alto", en el crucificado, de donde viene la salvación. Seguimos con esta experiencia oracional. Ahora se trata de seguir situado ante el crucificado, y al mirarle y descubrir el amor de Dios en él, sentirse pequeño y salvado en su presencia. Con paz, con calma, con gozo interno, ora tu vida ante el crucificado.

Me siento pequeño, confundido y anonadado
ante ti, Señor Jesús. Quisiera poner mis
ojos a tus pies, en la tierra donde estás clavado
y quedar así, en silencio, sin decirte nada.
¡Has muerto por mí! Pero tu amor, Señor Jesús,
me hace poner mi mirada en tu rostro; tu rostro
desfigurado, que parece el de un gusano
y no el de un hombre. Quiero mirar las llagas
de tus manos y las de tus pies y costado y meterme
en ellas, y sentirme como en ellas; quiero
decirte que te amo, que te quiero, que sólo tú,
Jesús amigo, has sido capaz de dar la vida por mí,
y esa es la prueba de tu amistad.
Quisiera llorar y no de rabia, sino de impotencia;
me siento mal, me siento como un estúpido,

como un cobarde, como alguien que no
sabe valorar lo que han hecho por él.
Me siento como destrozado, como avergonzado
ante tanto amor y tan poca correspondencia.
Me siento hipócrita, ya que me digo creyente;
me siento falso, enmascarado, yo que me
las doy de sincero y verdadero; me siento
sin valentía para mirarte a los ojos, porque
mi mirada, Señor Jesús, no es ni sencilla ni
atenta; no es ni limpia ni amorosa. Jesús amigo,
ahora reconozco que para mí eres como
algo y no Alguien; eres como algo a lo que
me agarro cuando me siento mal,
cuando me siento solo; descubro que eres
algo que me sirve para poner parches a mi vida;
algo que lo tomo o lo dejo según las circunstancias.
Lo reconozco, soy un chaquetero,
un aprovechado, un parásito. Jesús amigo,
para qué seguir; para qué lamentarme;
para qué desahogarme. Quisiera poder
decirte desde mi corazón joven que te amo,
que te quiero de verdad, que eres el Todo
de mi vida y la Razón de mi existencia.
Quisiera decirte que eres el Proyecto
para mi vida, el Camino por el que marcho,
la Vida que intento vivir y la Verdad
que ilumina mis pasos. Quisiera que fuese todo eso.
Pero hoy, ante ti, yo también, amigo sincero,
me siento crucificado; me siento
en situación límite, me siento tocando

techo. Jesús, tal vez estemos más cerca
tú y yo de lo que imagino.
Déjame que te diga que me emociona,
me apasiona, me fascina verte así;
verte así porque has asumido, en tu amor,
toda nuestra basura de hombres.
Gracias, amigo. Gracias. Quiero terminar
diciéndote que "en tus manos de amigo
pongo el pobre barro de mi corazón:
transfórmalo y haz de él una bella obra".

Vuelve sobre este diálogo con Jesús desde tu corazón. Y descúbrete en él, descubre tu realidad sin
enmascararla. Y vete luego a la vida sabiendo orar las
circunstancias, sabiendo orar las situaciones de cruz,
sabiendo orar los golpes que recibes. No los calles, no
te quedes en pensarlos solamente: grítaselos a Jesús,
el Señor, que "entiende" del dolor, porque en la Cruz
se convirtió en *"Varón de dolores"*. Busca tu fortaleza,
al vivir, en la debilidad del Cristo crucificado. Y no
olvides que *"cuando me siento débil, entonces me
siento fuerte"*; porque es entonces cuando el poder del
amor de Dios actúa en ti.

7. La mirada sencilla y atenta a Jesús, el único Mediador

La mirada a Jesús, único Mediador entre Dios y el hombre, es siempre una mirada de *"unión de amor"*. Se trata de que al poner los ojos en él te metas en su vida, te identifiques con él, que hagas de tu vida y la de Jesús una sola vida. La mirada a Jesús es una mirada que llamamos *"de aplicación"*, que quiere decir que cuentas con Jesús, que asumes toda su gracia y amor, que aplicas a tu vida la salvación que te dio muriendo en la Cruz, que haces tuyo todo lo de él y que haces de él todo lo tuyo; es como buscar fuerza en Jesús, como buscar apoyo, seguridad en Jesús; es saber que ha muerto por ti y que todo lo que mereció a los ojos del Padre, él, ahora, te las da a ti. La mirada a Jesús supone confianza en él, por eso es una mirada *"de invocación, de petición"* para que Jesús te envíe, te dé su Espíritu de amor y realice en tu vida las maravillas de su gracia. Esta *"unión de amor"*, esta *"aplicación de su gracia"* a tu vida, esa *"invocación de la fuerza de su Espíritu*" son la garantía de tu oración. De esta manera Jesús se vuelve Mediador cierto ante el Padre.

Cuenta siempre con Jesús. Ora unido a Jesús. Pídele su Espíritu para que ore en ti. Todo esto es posible porque Jesús te ama, entregó su vida en la Cruz por ti. Y con esta confianza, ahora mira a Jesús, pon tu mirada sencilla y atenta en el crucificado y sigue orando con la Palabra de Vida de Lucas 23, 33-56. Sitúate ahora ante Jesús y mírale sin decir nada, permaneciendo en un sentimiento interior de amor; o repite alguna palabra interior con paz o, de otra manera, dialoga con él. Lo vamos a hacer, con gozo y paz en el corazón.

Quiero olvidarme de todo, Jesús amigo;
de todo menos de ti. Quiero, cara a cara,
mirarte a los ojos y hablarte al corazón.
Tú eres, Señor crucificado, mirada profunda
y palabra sonora. Tú eres manifestación
plena del amor de Dios. Tú eres el rostro
de mi Dios. Te doy gracias, Jesús, porque al
subir a la Cruz has revolucionado la historia.
Tú has sido capaz de hacer, de lo
que era lugar de maldición, bendición;
de lo que era lugar de locura, proyecto de vida
para locos; de lo que era una vergüenza,
la mayor verdad que libera al hombre.
Me siento feliz ante ti crucificado, clavado,
despojado, libre. Me siento feliz ante ti porque has
llevado a cabo la Obra del Padre.

Me siento feliz ante ti porque has respondido
al pecado, al desamor de los hombres,
con el fuego, hecho llama viva, de amor.
Eres corazón abierto a todos. Creo en ti, Jesús,
amigo de Dios y amigo del hombre. Creo en ti,
Jesús, Salvador del hombre Señor de la Historia.
Creo en ti, Jesús, Hijo de Dios e Hijo
del hombre, de nuestra raza.
Creo en la verdad de tu vida, de tu Evangelio,
de tu proyecto porque te han matado por él,
por ser coherente con él. ¡Gloria a ti, Señor Jesús,
porque has sido coherente hasta el final!
¡Gloria a ti, Señor Jesús, porque tu muerte en Cruz
ilumina tu vida, y porque tu vida se
proyecta en tu Cruz! ¡Eres hombre, eres Dios!
Aquí estoy contigo, Señor Jesús,
porque tu amor me atrae a lo alto, a lo de arriba;
que busque las cosas de arriba, las de tu Espíritu.
Aquí estoy contigo y busco en ti la
Sabiduría y el poder de tu Cruz. Quiero
comprometerme contigo en la revolución
del amor y como tú, cargar con las cruces
de los hombres, y, juntos contigo, perdonar,
amar, reconciliar, pacificar, salvar la humanidad.
Gracias, Señor crucificado, por esta Nueva
Humanidad, por este Hombre Nuevo
nacido de lo alto de la Cruz. Gracias, Señor Jesús,
por haber entregado tu vida y haber
nacido yo de nuevo del agua y sangre de
tu costado. ¡Verdaderamente, tú eres
Hijo de Dios! Creo, creo en ti.

Como en las otras dos miradas descubre ahora los sentimientos que aquí se ponen de manifiesto. Y sobre todo sal de tu oración con la confianza de que Jesús, el Señor, camina contigo; de que a tu lado te ayuda a llevar la cruz; de que con la fuerza de su Cruz tú mismo eres capaz de ayudar a llevar otras cruces y a morir, a dar la vida, por la causa que le llevó a Jesús a la muerte en la Cruz: el cumplir la voluntad de su Padre Dios y el servicio al Reino de Dios.

Mira al corazón del Padre cuando ores; mira a tu propio corazón y mira al corazón de Jesús. Entra en sus *"disposiciones interiores"*, entra en *"sus actitudes profundas"*, en *"sus sentimientos sinceros"* y procura llevarlos a tu vida. Que tu actitud de orante sea la de Jesús: fidelidad a Dios y fidelidad al hombre; pero pasando por la fidelidad a tu propia vocación.

8. Abre tu corazón a la persona de Jesús, apoyado en la Palabra de Vida

Recuerda que lo fundamental de la oración es *"conocer y amar"* a Dios y *"llenarse de su Espíritu y unirse interiormente a Jesús"*. El conocimiento de Dios se logra en el conocimiento, en la experiencia de Jesús. Y en esa experiencia Jesús llena el corazón de su Espíritu de Vida y poco a poco nos va uniendo a él, nos va transformando, identificando con él hasta hacernos Hombres Nuevos, nacidos de su Espíritu. La pasión del orante es conocer a Dios en Jesús, es llegar hasta el fondo de su ser para tocar a Dios que lo habita. La pasión del orante es **Jesús**. Jesús manifestado en la Buena Nueva del Evangelio; Jesús cercano y luminoso en su Palabra de Vida, Jesús Maestro que enseña cuando el creyente se pone a sus pies en escucha de su mensaje de salvación. Apasiónate por el Evangelio orado, descubre los gestos, las palabras, las actitudes, las disposiciones, los sentimientos de Jesús, y hazlos tuyos. Adhiérete a su **persona** y tu personalidad estará marcada por la suya. Creo que si eres fiel en esta experiencia, aun cosas profundas de tu temperamento, de tu carácter de tu experiencia dura del pecado, se van a cambiar. Es un proceso largo. Pero seguro, cierto. Sólo la experiencia de esta verdad puede hacer la verdad viviendo la experiencia. ¿Acaso Jesús, Dios que salva, no es capaz de resucitar los muertos, hacer andar los tullidos, hacer ver a los ciegos...? Si crees, experimenta, comprométete, vive a Jesús. Vívelo en tu corazón.

Si no conoces a Jesús no le puedes amar en profundidad. ¿Para qué orar? Para conocer a Jesús. El mismo dice que la Vida eterna consiste en *"que te conozcan a ti, único Dios verdadero y a tu Enviado, Jesucristo"*. No olvides que la oración es un anticipo de la Vida, una experiencia de la eternidad. El estudio, la lectura de buenos libros sobre Jesús dará conocimientos intelectuales, se llegará a poseer ciencia sobre Jesús, pero lo importante es llegar a "la sabiduría" de Jesús. Y la sabiduría es un don de Dios que hace gustar las cosas de Dios, sus misterios, lo profundo de Dios, Jesús, y se da a los de corazón sencillo y humilde. Cuando oras, el rostro de Dios se te hace más luminoso en Jesús; cuando oras, el corazón de Dios se te hace más cercano y amigo en Jesús; cuando oras, la Palabra de Dios se te hace más conocida y personal en Jesús; cuando oras, la salvación de Dios se te hace salvación aquí y ahora en Jesús. ¡Siempre, siempre Jesús!

Entra dentro de la identidad profunda de Jesús. Entra dentro de su ser más profundo. No te quedes en la noticia superficial sobre Jesús. Entra en las entrañas, en lo escondido, en lo vivencial de Jesús y descubre que Jesús de Nazaret es el **Mesías**. Es el Enviado, es el Cristo. Es el Mesías enviado con la misión de salvar, liberar al hombre. El Mesías que establecerá el Reino de Dios, donde la justicia, la verdad y la paz se harán mesa común donde se sienten todos los hombres. Abre tu corazón al Mesías Señor y déjale entrar en lo profundo de tu corazón. Y que allí establezca su Reino, y que allí sea el Enviado del Padre con una misión, y que allí sea tu Cristo, tu Salvador, el Ungido de Dios, el Señor de tu vida. Ora esta realidad que da la identidad al Mesías, al Hijo de Dios.

Aún más, amigo: el Mesías es Sacerdote, es Profeta y es Pastor. Esta es su identidad. Esto es lo profundo de la Persona de Jesús de Nazaret. Acércate a él y siéntelo en tu vida como el Gran Orante; acércate a él y siéntelo en tu vida como el Gran Profeta, el hombre de la Palabra; acércate a él y siéntelo en tu vida como el buen Pastor, el que te sirve, el que da la vida por ti. Entra en la oración del gran Orante, del **sacerdote**, de aquel que intercede ante el Padre por el Pueblo, por ti. Y únete a su oración y haz tuya su oración y ten la confianza que siempre el Padre acoge la oración del Hijo, Sacerdote eterno. Entra en la Palabra del gran Profeta, deja que su Palabra caiga en tu vida y te toque con el mensaje que ha oído al Padre y que ahora te transmite. Y vive su Palabra salvadora. **El profeta** es tu Maestro que te enseña a descubrir y vivir la voluntad del Padre. Entra, por fin, en el amor, en la ternura y compasión del **Pastor**, del Rey, del que entrega la vida por los suyos. Y déjate conducir, déjate acariciar, déjate acoger, déjate defender, déjate salvar. En tu encuentro con Jesús, con su Persona adorable, día a día, vete descubriendo al Mesías, al Señor y Salvador de tu vida.

Aún más, amigo: en la medida en que en la oración conozcas a Jesús, su Persona fascinante, llevarás a tu vida su estilo de vida. Y con él, también tú serás "sacerdote", "orante" que intercede por el Pueblo de Dios; con él también tú serás "profeta", enviado que anuncia la Buena Nueva del Reino a los hombres; también tú con él serás "pastor", "servidor" que entrega la vida por los hermanos. El encuentro con el Mesías Jesús te llevará luego a ser entre los hombres salvador, liberador, sacramento de Dios en la historia. No olvides que en la oración, en experiencia de Jesús por medio de su Palabra, te vas a sentir "orante", "profeta", "servidor". Y así Jesús seguirá viviendo hoy en nuestros corazones.

Como siempre, amigo, vamos a hacer experiencia de la Persona de Jesús orando con ella, con su condición de Mesías. Centramos nuestra oración en Jesús como Sacerdote, como Profeta, como Pastor. Y lo hacemos con esas tres disposiciones interiores, con esas tres **actitudes de fe, humildad y unión de amor**.

*Entra en mi vida, Señor Jesús, **Mesías**,*
Enviado por el Padre; entra en mi corazón

tú que eres el Cristo, el Hijo del Dios vivo
entra en mi existencia tú que eres el Salvador,
el Señor. Mi corazón se alegra al acercarme a ti
y te alaba; mi corazón exulta de alegría
ante tu presencia salvadora y te dice gracias,
te dice: me siento feliz porque eres bueno conmigo.
Mi corazón goza y se alegra porque
me traes la salvación de Dios.

*Tú eres, Señor Jesús, el **Sacerdote**,*
el gran Orante, el Mediador; tú eres el que
siempre intercede por el Pueblo. Creo en ti.
Te adoro, me alegro contigo y te digo: gracias.
Me siento pobre ante ti, pero confiado,
pues tú intercedes por mí. Me siento nada,
barro ante tu presencia, pero confío en tu
oración en el amor con que el Padre
escucha tu oración. Perdóname, Señor Jesús;
perdóname, soy pecador; intercede por mí,
reconcíliame con el Padre. Yo me uno a ti,
Jesús Sacerdote y hago mía tu oración.
Me uno a ti, en amor sincero, y te pido,
Señor Jesús, que envíes tu Espíritu y
que ore en mi debilidad. No soy, Señor,
yo el que ora, eres tú, en tu Espíritu quien
ora en mí. Gracias, Jesús Mesías, Sacerdote, Orante.

Con el corazón abierto, en silencio ante ti,
***Profeta** de Dios, quiero escucharte,*
acoger tu mensaje, dejarme llevar por tu Palabra.
Creo que tu Palabra es Palabra de Dios,
que nace del corazón del Padre.

Tú eres Profeta de Dios, el confidente,
el amigo del Padre.

Gracias por revelarme el corazón del Padre,
su vida íntima. Gracias, porque el
Padre en ti ya no tiene secretos.
Me siento pobre, me siento confundido,
Profeta de Dios, porque no sé acoger tu Palabra,
no sé guardarla y vivirla. Perdóname por
cuantas veces me quedé entusiasmado
cuando la oí y luego al vivir no te hice caso.
Perdona mi infidelidad a tu Palabra.
Señor Jesús, Profeta de Dios, me uno a ti,
pongo mi corazón en tu corazón,
pongo mi ser en tu ser, para hacer
todo lo tuyo mío, tu vida mi vida.
Te pido que envíes tu Espíritu de Verdad
para que él me conduzca hacia la verdad plena,
que eres tú, Señor Jesús. Siguiendo tus pasos,
*poniendo el pie en tus huellas, **Pastor***
bueno, quiero hacer camino,
pues tú eres el Camino. Creo que eres el Proyecto
definitivo del Padre al hombre;
creo que eres el Enviado para conducir al
Pueblo por los caminos de Dios, hacia el Reino.
Mis ojos están puestos en ti y mi corazón
te alaba. Gracias, Señor Jesús,
porque tu vara y tu cayado me guían.
Yo sé, Señor, Pastor bueno, que a veces
me canso en tu seguimiento;
reconozco que a veces no he seguido tu camino;

perdóname. Devuélveme a tu redil,
llévame sobre tus hombros,
llámame por mi nombre y que tu compasión
y ternura me salven. Señor Jesús,
Amigo del hombre, amigo cercano y entrañable,
te quiero, cuento contigo, soy tuyo.
No me dejes a mis solas fuerzas;
dame del agua fresca de tu Espíritu
para que yo te siga. A ti, Pastor de nuestro
Pueblo, la gloria, la alabanza,
la acción de gracias y el poder.
Amén. Aleluya.

9. Abre tu corazón a los misterios entrañables de Jesús, apoyado en la Palabra de Vida

Acercarse a Jesús desde la fe es *"penetrarse interiormente de su Espíritu"*. Acercarse a Jesús es adentrarse en lo profundo, lo entrañable, lo oculto, lo íntimo de su ser. Acercarse a Jesús es abrir el corazón a lo desconocido, a lo misterioso, a lo sorprendente de su ser. Jesús es la Revelación del misterio de amor de Dios. Jesús es desconcertante, sorprendente, fascinante, porque en su "rostro humano" está oculto "su rostro divino". El orante en lo humano de Jesús quiere llegar a lo divino de su ser de Hijo de Dios. La actitud ante el misterio es la de descalzarse, despojarse, rendirse, quedarse en silencio y adorar, admirar, contemplar. La situación ante el misterio es la de dejarse atraer, deslumbrar, envolver. Situarse ante el misterio oculto en Jesús es anonadarse, humillarse, rendirse, hacerse pequeño y saltar de gozo, de entusiasmo. Porque es el encuentro de lo insignificante con lo grandioso; es el encuentro de Dios con el hombre.

Solamente el amor es capaz de tocar el misterio de Jesús. Solamente el corazón de pobre, humilde, es capaz de ver el misterio de Dios manifestado en Jesús. Solamente el corazón puro, limpio se alegra ante el misterio de Dios manifestado en Jesús. El pobre no pregunta por "el cómo" del misterio, sino que se rinde "al qué, al porqué" del misterio. El pobre no intenta comprobar el misterio, sino que "prueba" el misterio, se deja envolver en el amor del misterio. En la oración centrada en Jesús es preciso entrar en los *misterios profundos* de la vida de Jesús. Entrar con unas *disposiciones profundas* de fe para entender no entendiendo y ver no viendo. Se trata de saber no sabiendo. Jesús, Hijo de Dios, nos trasciende. Y es apasionante ir caminando hacia él y tomar la disposición interior de ir entrando *más adentro en la espesura*.

En esta actitud, en esta disposición interior, vamos a acercarnos en nuestra oración a los **misterios** de la vida, pasión, muerte y Resurrección de Jesús. Es lo más nuclear, lo más profundo, lo más entrañable de Jesús. Nos acercamos con *los ojos de la fe* y le pedimos al Espíritu Santo que nos conduzca *hacia la verdad plena*: Jesucristo, Dios y Hombre. Aquí están los misterios profundos de Jesucristo, el Señor. En la oración de Recogimiento interior, en la oración cristiana, es fundamental orarlos, empaparse de ellos al ritmo de la Palabra de Dios. Así, con un corazón de pobre, nos situamos ante ellos:

—Entra en lo profundo de su misterio en la Encarnación —Jn 1, 26-38—, y admira cómo Jesús *"asume al hombre"*.

—Entra en lo profundo de su misterio en el Nacimiento —Jn 2, 1-12—, y admira cómo se hace *"uno de tantos"*.

—Entra en lo profundo del misterio de su Epifanía —Jn 2, 1-12—, y admira cómo se manifiesta *"como un niño"*.

—Entra en lo profundo del misterio en su Huida a Egipto —Jn 2, 13-15—, y admira cómo asume *"el ser perseguido"*.

—Entra en lo profundo del misterio en su Bautismo —Jn 3, 13-17—, y admira cómo es uno más *"mezclado entre pecadores"*.

—Entra en lo profundo de sus Tentaciones en el Desierto —Jn 4, 11—, y admira cómo *"es puesto a prueba"*.

—Entra en lo profundo del misterio en su vida oculta —Lc 2, 51-52—, y admira cómo *"vive desconocido"*.

—Entra en lo profundo del misterio de su Muerte —Jn 15, 33-39—, y admira cómo muere *"como un fracasado"*.

—Entra en lo profundo del misterio de su Resurrección —Jn 16, 1-20—, y admira cómo *"surge vencedor"*.

—Entra en el misterio profundo de su Pentecostés —Hch 2, 1-13—, y admira cómo *"su fuerza es arrolladora"*.

—Entra en el misterio profundo de su Señorío —Hch 7, 55-56— y admira cómo *"está sentado como Señor"*.

Recuerda, amigo, que los misterios de Jesús pasan por la experiencia de *Kénosis,* de humillación, para llegar luego a la *Apoteosis,* a la exaltación. En lo débil (misterioso) se manifiesta el poder de Dios. De la Cruz (incomprensible) viene luego la Resurrección de Jesús. Es una llamada, amigo, a que la experiencia de Dios en Jesús pasa por una experiencia de muerte camino de la vida; de humillación para llegar a la glorificación; de sufrimiento para llegar a la iluminación, unión. En la oración, en el encuentro con Jesús, el Espíritu Santo va transformando al orante y va destruyendo en él todo ese mundo del hombre viejo para que viva luego el hombre nuevo: Jesús. Este es el misterio profundo de la vida cristiana: sin Cruz no hay resurrección. Y esto no se entiende, esto es "un *misterio profundo"*.

Interioriza este texto de Pablo que sin duda te ayudará a entrar en esta experiencia del misterio: *"Cristo, a pesar de su condición divina no hizo alarde de su categoría de Dios. Al contrario, se despojó de sí mismo y tomó la condición de esclavo, pasando por uno de tantos; y se humilló a sí mismo, haciéndose obediente hasta la muerte y una muerte de cruz. Por lo cual Dios lo exaltó y le dio un Nombre sobre todo nombre. De manera que al nombre de **Jesús** toda rodilla se doble en los cielos, en la tierra y en los abismos, y toda lengua proclame que Cristo Jesús es*

Señor para gloria de Dios Padre" (Flp 2, 6- 11). Se trata de que no te pierdas en "cosas raras" ante lo que no entiendes, ante el misterio. Descubre el amor de Dios en Jesús por el hombre y te acercarás un poco más a eso oculto, entrañable, incomprensible para la cabeza, pero cercano al corazón.

Acércate al misterio de la Resurrección de Jesús apoyado en Mt 28, 1-15. Intenta acercarte en:

Una disposición interior de fe:

—No temo, Señor; yo creo en ti. Te busco, Señor Jesús, y sé que, aunque fuiste crucificado, ahora vives Resucitado. Creo que la tumba, lugar de muerte, no es tu lugar. El Padre te ha puesto en pleno por el poder de su Espíritu Santo, Señor y Dador de Vida. Creo en ti y caigo rendido a tus pies y te adoro. Te reconozco como Señor, el primer nacido de entre los muertos; te reconozco como Señor glorioso del hombre y la Historia. A ti, Jesús Resucitado, el honor y la gloria; a ti la acción de gracias porque has realizado la Obra del Padre. Quiero ser testigo firme y sincero de tu Resurrección.

Una disposición interior de humildad:

—Me siento asombrado, Señor Jesús. Me siento pequeño, anonadado ante tu grandeza. Como un niño me alegro contigo y quiero olvidarme de mí. Tu Verdad, tu Luz, tu Gracia inunde mi corazón. Acojo tu Resurrección, Señor, con un corazón de pobre; soy feliz ante tu Resurrección, Señor, porque has vencido la muerte; soy feliz, Señor, porque has superado mi vida del

pecado; porque en tu Resurrección me has redimido, salvado, reconciliado con tu Padre Dios. Gracias, gracias. ¡Me siento salvado!

Una disposición interior de unión:

—Yo he nacido en ti, Señor Resucitado. El hombre viejo de mi historia ha sido destruido; en ti me siento Hombre Nuevo, Nueva creación. Tú vives en mí, Señor Resucitado y tu Vida es mi vida; vives en mí en el amor y el poder de tu Espíritu Santo. Quiero que vivas en mí; que tu amor, tu paz y gozo sean la vida nueva a la que me has llamado. Contigo, con la fuerza de tu Espíritu no tengo miedo. Contigo, Señor y Salvador del hombre, mi vida tiene sentido. Te alabo, te bendigo, te doy gracias. ¡Amén. Aleluya!

No lo olvides, amigo; lleva a tu oración los **misterios** profundos de Jesús de Nazaret. Entra en el interior, en lo profundo guiado por el Espíritu de Jesús. Déjate empapar del mensaje que comunican, de la vida que transmiten, del amor que se da en ellos. Y vívelos aunque no los entiendas; vívelos a través del año en su **liturgia.** Empápate bien de ellos orándolos. Y verás cómo la **fe**, la **humildad**, la **unión de amor**, esas disposiciones interiores, esas actitudes profundas, esos sentimientos en lo hondo de ti, serán un clima para que Dios en Jesús te revele, te descubra el velo de lo escondido, lo profundo, lo entrañable que habita en Jesús, el Hijo de Dios y el Hijo del Hombre.

10. Abre tu corazón a los hechos (signos) de Jesús, apoyado en la Palabra de Vida

El lugar donde Jesús se sitúa en el Evangelio son los pobres. Y las páginas más bellas donde se manifiesta la bondad, la ternura y compasión de Dios en Jesús con los hombres son aquellas que están salpicadas de sufrimiento. Jesús vino a salvar. Y el dolor, ya sea físico, moral, psíquico o espiritual es "tocado" por Jesús y es sanado, curado. Esta es la misión de Jesús. Así se manifiesta en Lucas 4, 18-20. Dice así: *"El Espíritu del Señor está sobre mí, porque me ha ungido, para anunciar a los pobres la Buena Nueva, me ha enviado a proclamar la liberación a los cautivos, y la vista a los ciegos, para dar la libertad a los oprimidos y proclamar un año de gracia del Señor"*. Es el momento de abrir tu corazón a la compasión y ternura de Dios en Jesús a través de sus **obras**, de sus **signos**, de sus milagros. Estos son "los hechos" de Jesús. Y en ellos se manifiestan su bondad, misericordia, compasión, ternura...; con otras palabras, sus "virtudes", pues la virtud es **amor en fortaleza**. En sus signos, en sus hechos se manifiestan ese mundo de **valores** que habitan el corazón de Jesús.

Acércate en la oración, amigo, a los hechos de Jesús, a sus signos, a sus milagros. Acércate a esas "ciencias santas", a esos sentimientos tan nobles que manifiesta Jesús al curar; a esas disposiciones maravillosas que expresa al sanar; a ese mundo afectivo de Jesús, esa capacidad de amar y ser amado. Acércate con el corazón, con el sentimiento interior, con el **afecto** e intenta comprender con el corazón. Te invito a que tu oración sea *"una oración afectiva"*, una oración que salga de lo íntimo de tu corazón. Te invito a que te dejes tocar, querer, sanar, curar... como se dejaron los hombres y mujeres que se acercaron a Jesús pidiendo misericordia. Te invito a que abras tu corazón dolorido, golpeado, tocado por el pecado que destruye, o salpicado de resentimientos, de envidias, de egoísmos, de miedos e inseguridades, y que dejes a Jesús que te sane, que te salve.

No busques al orar con Jesús en sus signos, en sus milagros, querer ver "el cómo" de los hechos; no lo encontrarás; procura ver "el porqué", es decir, la razón de lo que hace, y verás que no es otra que su amor, su bondad. Los hechos, los signos, son, sobre todo, para el que tiene fe, sólo se entienden desde la fe. También pueden suscitar la fe y ayudar en el camino de la Evangelización, del encuentro con Jesús el Señor. Ponte, amigo, en el lugar del ciego y pide luz; en el lugar del leproso y pide pureza; en el lugar del joven muerto y pide vida; en el lugar del paralítico y pide dinamismo; en el lugar del endemoniado y pide liberación. No veas la escena desde lejos; métete en ella y sé tú, junto a Jesús, el protagonista, aquel que pide sanación. Sólo así vas a entender los Hechos, los Signos, las Obras de Jesús, el Salvador.

Te invito a que ores con estos signos de Jesús. Y que descubras en ellos las **virtudes** de su corazón. Tú mismo necesitas descubrir en Jesús la **virtud**, es decir, ese **amor en fortaleza** que es capaz de superar cualquier necesidad. Necesitas de la virtud de la fe, para ser decidido; la virtud de la esperanza, para ser persona hacia adelante; la virtud de la caridad, para abrir tu vida al amor generoso; la virtud de fortaleza, para saber resistir en las pruebas; la virtud de la humildad, para poder vivir desde la humildad; la virtud de la pureza, para ser transparente; la virtud de la sencillez, para tener un corazón de pobre. Necesitas ser un joven que se vaya forjando en el mundo de los **valores** (virtudes) para enfrentar los **contravalores**. Ese mundo del odio, mentira, injusticia, soberbia, venganza, egoísmo. Amigo, el creyente necesita "fotalecerse" en su comportamiento, en su estilo de vida para enfrentar esta sociedad nuestra tan salpicada de contravalores. Necesitas vencer el mal con el bien.

Te insisto en estos "hechos" de Jesús donde se manifiestan esos valores, virtudes de su corazón. Te insisto porque la oración, si no va creando virtudes, valores, buenas obras que se traduzcan en hechos, hay que desconfiar de ella. Tú estás llamado a hacer "signos" entre los hombres. Estás llamado, como Jesús, a dar la vista a los ciegos, y romper las cadenas de los presos, y hacer andar a los tullidos y resucitar los muertos. Tú sabes quiénes son hoy los ciegos, los tullidos, los muertos... La oración te tiene que llevar a este compromiso sincero y serio de crear el Reino de Dios (ese mundo de valores, virtudes, obras) en la sociedad en que vives.

Quiero dejarte aquí esos hechos de Jesús, esos signos de Jesús de cara a los pobres, a los que sufren. Te invito a que en cada uno de ellos descubras esos valores que manifiestan, esas virtudes que se ponen de manifiesto. Y que ores con ellos. Por ejemplo al encontrarse Jesús con un entierro en el pueblo de Naín, resulta que se entera que el muerto es un joven y además es hijo único de una pobre madre viuda. Está en Lucas 7, 11-17. Jesús lo resucita, lo devuelve a la vida. Pero procura ver "el porqué" lo hace. Y lo hace porque "le da lástima" el ver a aquella pobre madre, tiene "compasión de ella", se acerca a ella con "una gran ternura". Al orar los hechos de Jesús, sus signos, entra siempre en el interior del hecho y contempla, en una actitud de fe, en un sentimiento de ternura hacia Jesús, esa maravilla de su corazón. Entra también en los sentimientos del corazón de las personas que son curadas o de aquellas que piden sanación para otras. "Penétrate interiormente" de esos signos y verás cómo llegas a conocer y a amar a un Jesús que es el amor de Dios, su compasión y ternura por los hombres.

Aquí te dejo algunos de los signos, de los hechos, de las obras de Jesús para que te acerques a ellos y toques los sentimientos interiores que animan esos hechos y los hagas tuyos.

—Jesús cura al criado del centurión: Mt 8, 5-13.

—Jesús sana a una mujer de un flujo de sangre: Mt 9, 18-25.

—Jesús libera a la hija de una mujer cananea: Mt 15, 21-28.

—Jesús abre los ojos a los dos ciegos de Jericó: Mt 20, 29-34.

—Jesús limpia de la lepra a un hombre marginado: Mc 1, 40-45.

—Jesús libera de la opresión a un poseso del Demonio en Geraza: Mc 5, 1-20.

— Jesús hace andar a un paralítico: Mc 2, 1-12.

—Jesús se acerca al enfermo de la piscina de Betesda: Jn 5, 1-11.

—Jesús da de comer a una multitud que tiene hambre: Jn 6, 1-15.

—Jesús da la vista y libera al ciego de nacimiento: Jn 9, 1-41.

—Jesús devuelve a la vida a su amigo Lázaro: Jn 11, 1-54.

La oración de recogimiento interior, la que se hace en el fondo del alma, en la parte más secreta del corazón, es una **oración afectiva**. Es afectiva porque

161

se mueve, se realiza en clima de encuentro, en clima de amor. Jesús, al curar, hace encuentro con el hombre que sufre; pone su corazón en el corazón del hombre; y el hombre curado entrega su corazón al amor de Jesús. Y así es posible la sanación, la curación; así se realiza el milagro. No olvides, amigo, que Jesús sigue sanando hoy, curando hoy, realizando sus signos, sus obras. Déjate sanar en los encuentros de oración, abre a Jesús tu dolor, tu enfermedad, tu sufrimiento para que él lo sane, lo cure, lo salve.

Señor Jesús, Hijo de Dios vivo, ten compasión
de mí. Aquí estoy como ciego en el camino:
abre mis ojos a la luz. Aquí estoy como el joven
sin vida: haz que me levante. Aquí estoy tocado
por la lepra, por el pecado, por la impureza:
límpiame, libérame, sácame de la esclavitud.
Aquí estoy, Señor Jesús, y mi fe es tan pobre;
yo creo, Señor, pero aumenta mi fe.
Fortaléceme interiormente, hazme enérgico,
decidido, valiente, hombre de coraje;
hazme sencillo, humilde, transparente,
hombre de verdad; hazme generoso, misericordioso,
compasivo, hombre de bondad; hazme libre,
justo, comprometido, hombre que lo dé todo;
hazme, Señor Jesús, como tú, manso y
dulce de corazón. Quiero ser digno de tu amor
y ternura entre los hombres. Libérame,
sáname, cúrame para que yo contigo
también sane y libere.

11. Abre tu corazón a los dichos (Palabras) de Jesús, apoyado en la Palabra de Vida

Con sus obras, con sus signos Jesús proclama que el Reino de Dios ha llegado. Ponerte en contacto con sus hechos es tocar el Reino, hacer llegar a tu corazón el amor y la compasión de Dios. Pero Jesús proclama el Reino de Dios por medio de su Palabra. Jesús es la Palabra de Dios al hombre; es la manifestación de la voluntad de Dios al hombre. Escuchando a Jesús el creyente aprende el camino de la vida, aprende a andar por los caminos de Dios. Jesús anuncia la Buena Nueva del Reino y deja caer sus Palabras de Vida eterna en el corazón de quien tiene buena tierra. Jesús habla al corazón y solamente se le entiende en lo profundo del corazón. El orante busca el encuentro de Dios en Jesús para ponerse a la escucha de Jesús y aprender del Maestro. La oración es una escuela entre el Maestro y el discípulo. Abre los oídos de tu corazón a la Palabra de Jesús y sentirás cómo tu vida va cobrando sentido, cómo la verdad te va iluminando.

Ora con las Palabras de Jesús, con "sus dichos", con lo que él dijo; ora con "los hechos" de Jesús, con lo que él hizo y así aprenderás a vivir en su seguimiento.

Qué "hizo" Jesús y qué "dijo", es lo que busca el creyente en la oración. Para hacer y decir y asumir su estilo de vida. El Evangelio está lleno de *"Palabras interiores"*, *"Palabras de vida"*; está lleno de esas sentencias, máximas de Jesús. El Evangelio es un Camino, una Verdad y una Vida para el hombre nuevo. Por eso, que tu oración personal sea alimentada constantemente por la Palabra de Jesús. Busca, interioriza, escucha, lee, piensa, mete en tu corazón, gusta, saborea, déjate cuestionar por la Palabra de Jesús. Ella cambiará tu manera de ver las cosas, tu manera de enfocar las situaciones, tu manera de valorar lo que te rodea, tu manera de motivar tu existencia. Ella cambiará tu mente y tu corazón y saltarás de gozo. Los dichos, las Palabras de Jesús fueron pronunciadas para ti, para tu vida, para dar sentido a tu búsqueda joven. Es la Palabra del amigo que habla para el amigo.

Sitúate ante las Palabras de Jesús. Porque sus Palabras son *"como semillas"*, llevan vida. El mismo te indica cómo no debes situarte ante su Palabra. Te habla de que no seas *"como vereda de camino"* por donde pasa la gente y pisa las semillas caídas. Te dice que así no se acoge la Palabra, pues *"los pájaros"* se comen la semilla y no da fruto. Desde un corazón superficial no se comprende la Palabra, y el *Diablo viene y la arrebata del corazón*. No da fruto. También te dice Jesús que no seas como *tierra con piedras*;

que no seas *"un pedregal"*, pues por falta de profundidad, de hondura, no echa raíces la semilla y "los soles" la secan. Te dice que no recibas las Palabras *"al punto con alegría, pero luego ante las dificultades, ante las pruebas, viene el sucumbir por falta de profundidad"*. También habla Jesús de un tercer tipo de persona ante su Palabra; la de aquel que domina en su campo *"abrojos"*. Tiene el peligro de que, al crecer, es sofocada por las espinas. Jesús se refiere aquí a aquél que *oye la Palabra, pero las preocupaciones del mundo y la seducción del dinero ahogan la Palabra y la dejan sin dar fruto. Por fin Jesús habla de la buena tierra que da fruto. Habla de aquel que la escucha, la guarda en su corazón y luego la lleva a la vida.* En la oración desde una vida superficial es imposible acoger la Palabra; desde una vida sin profundidad, sin raíces, sin decisión de superación, la Palabra no penetra, no toca la vida, no la cambia. Sólo con un corazón de pobre, como el de María, se es capaz de dejar a la Palabra que dé fruto abundante. Jesús habla así en Mateo 13, 1-13.

Tu experiencia constante de la Palabra de Jesús, amigo, te llevará a interiorizar muchas de sus Palabras con fuerza. Y las irás haciendo tuyas, y en los momentos difíciles surgirán en tu corazón como respuesta a tu pregunta, a tus necesidades. Ora esas *"Palabras interiores"*, esas palabras llenas de profundidad, de interioridad, de hondura; ora esas *"Palabras evangélicas"* y verás cómo Jesús se irá haciendo el Maestro de tu vida, el Amigo que viene a darte en el momento preciso la palabra oportuna. Esas frases cortas, como sentencias, como máximas, como sabiduría profunda de Jesús, vete haciéndolas tuyas en la oración. Irán cambiando tu vida y tú las harás llegar a otros en momentos bien precisos. Toma esas "Palabras interiores", esos "mantras", esas sentencias sabrosas de Jesús y alimenta tu vida con ellas. Repítelas despacio, suavemente, atentamente en tu oración. Aún más: llévalas a tu trabajo, a tu paseo, cuando vas caminando... en cualquier momento las puedes ir repitiendo como una melodía que acompaña tu vida. Por ejemplo: *"Joven a ti te hablo, levántate"*. O esta otra: *"Mi paz os dejo, mi paz os doy"*. O esta otra: *"Tú eres la luz del mundo; eres la sal de la tierra"*. No te canses de repetir esas "Palabras interiores" llenas de vida de Jesús y verás cómo te sentirás acompañado por su presencia a lo largo del día a día.

No existe Palabra, amigo, si no hay alguien que la pronuncie. Por eso la Biblia, el Evangelio es Palabra de Vida, pronunciada por alguien que vive. Cuando al orar con Jesús por medio de su Palabra te abres a su Presencia viva, no olvides de poner tus ojos en los suyos; no te olvides de "escuchar" su voz, de llegar a "ese timbre de voz" que irás descubriendo en esta experiencia; no olvides "el calor", la "ternura", la "energía", la "sinceridad"... que llevan sus Palabras. Jesús no habla al viento; habla para ti. No habla con conceptos sino comunicando vida; no se dirige a la cabeza sino que busca el corazón. Por eso, pon tu mente (atención) y tu corazón (amor) al acercarte a la escucha de la Palabra del Señor. El te llama, él te cuestiona, él te interpela, él te denuncia algo o te anuncia algo, él te ofrece un plan, un proyecto de vida, él se comunica en su Palabra. En su Palabra acógele a El. Acoge esas **Palabras interiores** que han sido dichas para tu interior, para tu corazón.

Jesús es el Amigo que sabe hablar a los amigos. Emplea su mundo, el medio que les rodea para que le entiendan. Jesús deja sus Palabras interiores en tantas **parábolas** que quieren sorprender al que escucha; que quieren interesar al que busca; que quieren hacer llegar en ellas el mensaje central de sus Palabras: el **Reino**. Siguiendo a Lucas, el evangelista de la Palabra, aquí dejamos algunas de sus parábolas donde Jesús ha dejado sus dichos, su mensaje. Luego en Mateo recogeremos su mensaje largo de la montaña, lleno de una gran sabiduría. Después traeremos a Juan comunicándonos "las Palabras interiores" de Jesús en la última cena, en su despedida. Y por fin, volviendo a Mateo, hacemos constancia de "las exigencias de sus Palabras" a sus seguidores a la hora de ir a la misión a anunciar el Reino de Dios. Lee, interioriza, escucha, ora con estas Palabras de Jesús.

—Lo que Jesús dijo al hablar de su Palabra en el símbolo de la semilla: Lc 8, 4-15.

—Lo que Jesús dijo al hablar del amor en la imagen del buen Samaritano: Lc 10, 25-37.

—Lo que Jesús dijo al hablar de la insistencia en la oración con lo del amigo: Lc 11, 5-8.

—Lo que Jesús dijo sobre la misericordia del Padre con lo del joven aventurero: Lc 15, 11-32.

—Lo que Jesús dijo al hablar de la justicia-injusticia con lo del rico malo: Lc 16, 19-31.

—Lo que Jesús dijo al hablar de la humildad en la oración con lo del fariseo-publicano: Lc 18, 9-14.

—Lo que Jesús dijo al hablar de los dones que Dios nos ha dado: Lc 19, 11-27.

—Lo que Jesús dijo del rechazo de los hombres ante su venida con lo de los viñadores: Lc 20, 9-19.

—Lo que Jesús dijo sentado en la montaña sobre lo fundamental del Reino: Mt 5 a 7.

—Lo que Jesús dijo en el momento de su despedida a sus discípulos, a sus amigos: Jn 13-16.

—Lo que Jesús dijo a sus seguidores al enviarlos a la misión en servicio del Reino: Mt 10, 1-42.

De todas esas Palabras de Jesús, escoge alguna de ellas que más respondan a tus disposiciones interiores y óralas. Sitúate ante ellas, ante Jesús que las pronuncia, en una actitud de "fe-humildad-unión". Y aquí te dejo, amigo, esta interiorización orada de las Palabras de Jesús en la montaña: *las Bienaventuranzas*.

Creo en tu Palabra, porque creo en ti,
Hijo de Dios vivo. Acepto tu Palabra, Señor,
porque te he acogido con gozo en mi vida.

Adoro tu presencia en mí y acepto tu Palabra
aun sin entenderla. Me alegro de tu Palabra,
Jesús, porque ella me da vida.
Gracias por enseñarme un camino de felicidad:
el ser pobre de corazón. Gracias por
ofrecerme un proyecto para ser feliz:
tus Bienaventuranzas. Gracias por ese plan
de vida apasionante y desconcertante. Jesús,
tu camino no es el camino de felicidad
que ofrece el mundo. Tu camino choca,
se pelea, se queda solo, no se entiende sin fe.
Quiero caminar por él y dar mis pasos
hacia el Reino de los cielos. Quiero ser feliz,
llorando con el que llora, teniendo
hambre y sed de justicia con el que hambre
y sed tiene; quiero ser manso y saber soportar;
quiero ser misericordioso y tender
mi mano al que necesita ayuda; quiero ser
limpio de corazón y nunca hacer doble
juego a nadie; quiero trabajar por la paz y
ayudar a que los hombres se perdonen;
quiero aceptar ser perseguido por ti, Señor Jesús,
a causa de la justicia, porque quiero
empeñarme en construir la Civilización del amor.
Quiero ser bienaventurado, feliz,
dichoso aun en medio de la prueba
porque es grande la recompensa que me espera
en tu Reino. Señor Jesús, Señor de
los proyectos arriesgados, los que valen la pena,
cuenta conmigo y dame la fuerza de tu
Espíritu para cumplir tu Palabra.

12. Abre tu corazón a la buena nueva de Jesús, siguiendo la Liturgia de la Palabra

Tal vez haya surgido dentro de ti una pregunta: "A la hora de orar con la Palabra de Dios, ¿cómo escoger esa Palabra? ¿Será conforme a mi disposición interior? ¿Será según me salga, a suerte, al abrir el Evangelio? ¿Tal vez escoja esa palabra interior para orar con ella con el fin de profundizar en algún tema concreto?". Tienes salida en todos los casos. Puedes orar con la Palabra con el fin de profundizar en unos temas durante algún tiempo, por ejemplo: "la fe", "los pobres", "la caridad", "el Reino", "la comunidad"... Entonces es fácil ir buscando pasajes que hablen de esos temas y ver en ellos "lo que hizo Jesús y lo que dijo" sobre el tema. También puedes buscar la Palabra para dar respuesta a tus problemas, a tus necesidades. Por ejemplo, te sientes "inseguro", "flojo" en la fe, pues busca textos que hablen de la confianza, del abandono, de la seguridad en Jesús; búscalos en el Evangelio o en las Cartas de san Pablo o en algún Salmo orándolo en referencia a Jesús. Lo que no me parece claro es abrir el Evangelio a la suerte y orar con el texto que salga. Lo de Dios es mucho más serio y profundo que todo eso; lo de Dios no es ninguna suerte, sino una gracia.

Con todo quiero indicarte el camino correcto, cierto y verdadero de la oración hecha con la Palabra. Es sencillamente el camino de la Iglesia en su oración. Se trata, amigo, de orar como la Iglesia de Jesús ora cada día; se trata de ir al encuentro de la Palabra de Vida que la Iglesia ofrece al creyente, a la comunidad cristiana cada día. Abrete a ese mensaje que te llega cada día en la Buena Nueva de la Liturgia. Aprende a dejarte guiar por la Iglesia, por el Espíritu Santo a través de la Palabra de Dios para cada día. Esa Palabra se convierte en alimento de tu fe, en lugar del encuentro con Dios, en camino de sanación y salvación. Recuerda que la Liturgia es *la acción salvadora de Dios hoy en la historia*"; recuerda que la Liturgia hace presente hoy en la comunidad a Jesús; su persona, sus dichos, sus hechos, sus misterios, su salvación. Entra en ellos y te sentirás feliz al caminar con Jesús.

Te he dicho "caminar". Porque la Iglesia, a través de año en su Liturgia, te va presentando al Jesús de la historia, al Cristo de nuestra fe. Siguiendo la Liturgia al ritmo de su Palabra acompañarás los pasos de Jesús a través de la "lectura" que la Iglesia hace de Jesús en ese año. Un Jesús deseado, esperado como Mesías, Salvador, en el tiempo de **Adviento**. Un Jesús acogido, que ha acampado entre los hombres, en el tiempo de **Navidad**. Un Jesús que se manifiesta, que se da a conocer a los hombres, en el tiempo de **Epifanía**. Un Jesús que camina por los caminos de los hombres para salvarlos a través de la incomprensión, del dolor, de la Cruz, en el tiempo de **Cuaresma** llamando a la conversión del corazón. Un Jesús que entrega la Vida y da vida nueva resucitando y haciendo nacer de nuevo a los hombres, en el **Triduo Pascual**. Un Jesús que sigue vivo, resucitado en la Historia en medio de la Comunidad creyente, en el tiempo de **Pascua**. O un Jesús que realiza su misión y manda a los suyos a construir el Reino de Dios, en el tiempo de **Pentecostés**. Es como hacer una lectura-orante del Evangelio, de la Vida, misión, pasión, muerte y resurrección de Jesús. Es realmente volverlo a experimentar, a vivirlo desde la fe como si estuviera presente entre nosotros. La Palabra vivida en la Liturgia tiene la fuerza de hacer presente a Jesús y su Evangelio en la historia con fuerza de salvación. Sigue esa Liturgia de la Palabra, interioriza la de cada día, órala, llévala a tu vida y así harás camino, proceso, itinerario espiritual con Jesús, bajo la fuerza de su Espíritu.

Quiero ser práctico, amigo. Por eso te sugiero este método tan sencillo. Cada noche, al acostarte, toma las lecturas de la Liturgia del día siguiente. Léelas despacio. Y busca "el espíritu", "el mensaje central" de ellas. Tal vez un día ores con la primera lectura; tal vez otro día con el Evangelio; o sencillamente con el Salmo interleccional. Toma "una palabra interior" de esas lecturas, la frase que creas más conveniente, y piensa en ella, habla a Dios a partir de ella, repítela despacio, despacio, callándote, volviendo a repetirla hasta que penetre en tu corazón, y duérmete así. Si eres constante en esta práctica descubrirás que si te despiertas en la noche estará tu corazón repitiendo las "palabras evangélicas"; si llega la hora de levantarte verás cómo ellas aparecen en tu nuevo día, y mientras te aseas mantente con ellas en tu mente y corazón. Por ejemplo tomamos la Liturgia de la Palabra del 25 de marzo, fiesta de la Anunciación del Señor. Tiene tres lecturas: la primera de Isaías 7, 10-14; la segunda de Hebreos 10, 4-10; y la tercera de Lucas 1, 26-38. Lee las tres despacio. Busca si hay unidad entre ellas. Luego te inclinas por una de ellas. Por ejemplo, el Evangelio. Puedes centrar la oración en la palabra evangélica: *"Aquí está la esclava del Señor, hágase en mí según tu palabra"*. O esta palabra de la segunda lectura: *"Aquí estoy, oh Dios, para hacer tu voluntad"*. O sencillamente oras con el Salmo 39 y lo vas desgranando despacio. O vas a la primera lectura y te quedas diciendo: *"Tú, Jesús, eres Emanuel: Dios con nosotros"*. Entra en el ritmo y no tengas miedo. Se constante y verás cómo encontrarás en la Palabra de Dios para cada día "lo que buscas, la respuesta a tus necesidades". Y llegará un tiempo en que no sabrás orar de otra manera, ni con otros textos.

A tu alcance tienes una "agenda litúrgica" donde cada día vienen los textos de la misa. Búscalos en tu Biblia y ora con ellos. O también puedes adquirir un Misal de la comunidad que ya te trae los textos de cada día. Ahí está el "**Nuevo Misal del Vaticano II**". Es un servicio maravilloso para toda tu vida, que a la hora de hacer tu encuentro con Dios a solas es bueno que lo tengas presente, pues te ayudará a interiorizar.

Aún algo más. Si estás iniciándote en el camino de la oración —será iniciación toda la vida—, es conveniente, tal vez, que ores con el Evangelio. Que tomes un evangelista, por ejemplo a Lucas, y que lo sigas, día a día, en tu oración, siguiendo sus páginas. Este método te ayudará a ir teniendo una imagen de Jesús más centrada y no dispersa. En este caso vas buscando los textos más significativos, y ora con ellos. La lectura de un breve comentario a ese evangelista te ayudará a descubrir las coordenadas, el alma que anima su Evangelio.

Te ayudará también mucho en la experiencia de Dios la lectura de "libros espirituales", libros que llamamos "de lectura espiritual". No son libros de estudio, no son textos. Son libros que despiertan el corazón a Dios, animan a buscarlo, motivan la fe, nos despiertan a la oración, a la esperanza, al amor. Son libros que, con frecuencia, transmiten experiencias de Dios, de fe; son libros testimoniales que nos hacen a Dios, cercano, presente. Sé serio en tu vida espiritual; ten siempre "un libro" que responde a tus deseos profundos de búsqueda, de búsqueda de Dios.

No me he olvidado; lo tengo siempre presente, pero no he hablado de ello. En tu oración no puede faltar María, la Madre de Jesús. Te invito a que ores con el Evangelio en la mano a **María**; busca esos textos que hablan de ella, sobre todo en Lucas. Y ora esa Palabra de Dios que nos la hace presente, viva, cercana, llena de Dios, llena de fe. En sus fiestas centra tu oración en María. Ella es *"casa donde Dios habita complacido"*. Ella está llena del Espíritu Santo y conduce a Jesús. La Iglesia, en su Liturgia, va presentando los momentos claves de María dentro de la historia de la salvación. Vive esos momentos. Y no olvides tampoco el acercarte, según tu devoción, al corazón de algunos **santos**. También la Liturgia los va haciendo presentes. Acércate a ellos. En ellos encontrarás una manera concreta y humana de vivir a Jesús y su Evangelio. Ellos son testigos de Dios.

Me estoy refiriendo todo el tiempo a esos momentos concretos del *"encuentro a solas con Dios"*. Pero no olvides, amigo, que esta experiencia de oración a través de la Palabra centrada en Jesús te llevará a **celebrarlo** con fuerza en sus **sacramentos**. De una manera especial en la **Reconciliación** y en la **Eucaristía**. La Palabra orada, vivida, lleva al sacramento y se hace celebración gozosa en la Asamblea litúrgica. Y luego se convierte en compromiso sincero de cara a la ayuda a los hombres, *tomando parte en los duros trabajos* del *Evangelio según la fuerza que el Señor te dé*. La fuerza viene de esos momentos dichosos de encuentro a solas con Dios.

13. Abre tu corazón al Evangelio de Jesús, orando con los sentidos interiores de tu mismo corazón

Siempre en el deseo sincero de ayudarte en este camino de oración personal quiero indicarte unas pistas muy sencillas que te ayuden a abrir tu corazón al Evangelio, a Jesús. Se trata de "aplicar" los *sentidos del corazón* a la Palabra de Dios. Aplicar los sentidos y "ocuparse interiormente en llegar hasta el fondo, hasta la parte más secreta de la Palabra". De esta manera podrás llegar a "conocer y amar" más y mejor a Jesús, y al mismo tiempo el Señor *te llenará interiormente de su Espíritu y te unirá a Jesús desde la fe*". Abre los sentidos interiores a la Palabra de Dios y llegarás a "ver", "oír", "oler", "gustar" y "tocar" el mensaje que lleva dentro de sí la Palabra. Te invito a hacer esta experiencia con el hecho del Evangelio de Juan 11, 1-54. Se trata de la Resurrección de Lázaro, y el mensaje es claro: en Betania, lugar de la comunidad de Jesús, la muerte no tiene lugar; en su comunidad es preciso vivir, vivir siempre. Vamos a dar los cinco pasos.

"Aplica la vista": Se trata de poner sencillamente los ojos en la Palabra, en el Evangelio. Se trata de darte cuenta de **lo que ves**. Para ello haz una lectura tranquila del hecho y reconstruye los diferentes pasos que tiene. Mira lo que vas leyendo con calma e imagina, completa, reconstruye, observa, destaca los detalles. Es como una contemplación muy suave. Es una manera de orar con *"una mirada sencilla y atenta"* sin más. En cada paso que lees te detienes y te recreas viéndolo.

Por ejemplo:

—Jesús está con sus discípulos retirado en el campo, tranquilos, conversando.

—Llega alguien que comunica la noticia: sorpresa, revuelo, actitud de Jesús, de los discípulos...

—Se ponen en camino: semblante de Jesús, actitud de los discípulos…

—Marta que llega al encuentro de Jesús... María que corre al encuentro de Jesús...

—Jesús en Betania entre los familiares, amigos...

—Jesús conmovido, sollozando, triste, ante la tumba de Lázaro…

—Actitud de las gentes...

—Jesús que Resucita a Lázaro su amigo... sorpresa, emoción de las gentes, reacciones...

"Aplica el oído": Se trata de abrir los oídos del corazón a lo que dicen los personajes del hecho y es-

177

cuchar sus palabras. **Lo que oyes**. Buscas esas frases cortas, esas palabras interiores que han dicho, y una a una las repites, las haces tuyas, las dices en tu interior. Cada una de ellas, varias veces. Hazlo con paz, despacio, calma.

Por ejemplo:

— *"Señor, aquel a quien tú quieres está enfermo"*.

— *"Esta enfermedad no es de muerte"*.

— *"Nuestro amigo duerme; pero voy a despertarle"*.

— *"Vayamos también nosotros a morir con él"*.

— *"Señor, si hubieras estado aquí no hubiera muerto mi hermano"*.

— *"Yo soy la resurrección y la vida"*.

— *"El Maestro está aquí y te llama"*.

— *"Mirad cómo le quería"*.

— *"Lázaro, amigo, sal fuera"*.

"Aplica el olfato": Se trata de despertar tu sensibilidad y llegar al mundo de los sentimientos interiores del hecho. De sintonizar, de hacer unidad con los sentimientos del corazón de Jesús y de los otros personajes. Tener olfato es captar las cosas, intuir, penetrar, entrar dentro. **Lo que sientes**. Es quedarse en ese *"sentimiento interno"* que no necesita de palabras. Es sentir con lo que ellos sienten en lo profundo.

Por ejemplo:

—Siente el dolor de Jesús ante su amigo: llora, solloza, le duele el alma...

—Siente el dolor de Marta y María y la confianza-esperanza que tienen en su amigo Jesús...

—Siente el ambiente de sorpresa, expectativa ante Jesús que "puede curar"...

—Siente la alegría de los amigos de Lázaro al ser devuelto a la vida...

—Siente el gozo y la alegría de Lázaro al encontrarse con Jesús...

"Aplica el gusto": Se trata de descubrir el mensaje central, lo esencial del hecho y saborearlo en silencio, de gustarlo con paz y amor; se trata de alegrarte en silencio y gozarte en silencio en tu corazón ante Jesús que es Vida, Resurrección. **Lo que saboreo.** No es nada de la cabeza; es una disposición interior, un sentimiento interior, una actitud profunda de quedarse con lo esencial del hecho. Quédate en silencio sin más.

Por ejemplo:

—Saborea que Jesús es la Vida, la Resurrección.

—Saborea que quien cree en él vivirá para siempre.

—Saborea que quien cree en él verá la gloria de Dios.

"Aplica el tacto": Se trata de llevar a tu vida lo que has orado, contemplado, meditado. Se trata de

179

hacer compromiso del mensaje del Evangelio que has interiorizado. Las manos en la Biblia son las "obras". Por eso que "manos a la obra": ayuda, servicio al necesitado en tu comunidad, cambio en tu vida. **Lo que asumes**. Vete a donde te lleva la oración.

Por ejemplo:

—Sé sensible en tu comunidad al sufrimiento del otro.

—Ponte en camino hacia el que necesita ayuda.

—No tengas vergüenza de llorar con el que llora y alégrate con el que se alegra.

—Descubre dónde hay situaciones de muerte, de crisis, de prueba, y vete allí y lleva vida.

—Cuida de que Jesús esté en el centro de tu comunidad; sin él, la muerte puede acecharla.

Esta manera de orar sintetiza y expresa muchas cosas que hemos dicho de cómo orar con la Palabra. Sin duda que las "*actitudes de fe, de humildad y de unión con Jesús*" están aquí presentes. Sin duda que las "tres miradas": del Padre, a Jesús y al hombre, están aquí presentes. Con estos cinco pasos podías estar un par de horas tranquilamente orando. Pero un buen día puedes aplicar el **ver**, y otro día el **oír**... El amor es ingenioso, el amor es creativo, el amor es siempre nuevo. Y la oración es experiencia de amor. No olvides, amigo, despierta los "*sentidos interiores*" de tu corazón y aplícalos a tu corazón, a Jesús y a los hombres.

14. Abre tu corazón
a la persona, a los hechos,
a las palabras, al misterio
de los hombres cada día

"Señor, soy impulsivo; actúo a bandazos;
soy indeciso, cobarde; otras veces, Señor,
me siento lleno de fuerza, una fuerza explosiva,
capaz de todo. Te doy gracias porque tengo en mi
corazón muchos impulsos para el bien; pero muchas
veces me quedo sólo en ellos y no los traduzco en
vida. Yo quiero vida, quiero vivir; Señor, quiero
sentirme.
Yo sé, Señor, que también Caín habita en mi corazón,
y que a veces se levanta agresivo,
duro y golpea sin compasión. No me gusta ser así,
Señor; no me dejes en las manos de "mi Caín";
yo me pongo en tus manos de "Abel":
Dame tu vida, Señor Jesús. A veces me siento en
conflicto, en tensión, y lo paso mal.
Yo amo la paz, yo busco la paz: tu paz,
Señor, tu paz, tu paz.

Me falta personalidad y soy dependiente de la masa;
con todo, creo Señor, que tengo un fondo maravilloso;

un fondo que tú me has dado. Soy indeciso; aún no me
he enfrentado con decisión conmigo mismo para
definirme, para ser yo mismo. Tengo miedo,
Señor, a cortar, a desgajar, a separar,
a soltar amarras, porque tengo miedo al dolor,
al sufrimiento, al vértigo que da el cambio.
No soy capaz de comprometerme en un estilo nuevo de
vida, porque tengo miedo al desprendimiento,
a la renuncia, al esfuerzo; tengo miedo a creer en tu
amor y dejarme cambiar por tu ternura.

Vivo, Señor, un tanto a lo que sale. Huyo de los
problemas que tengo y de mí mismo,
para no darles la cara. Imagino, Señor, que
son fantasía y que no existen y así no les hago caso.
Me hago daño, Señor, y a veces me siento
dominado por la depresión, la ansiedad, el miedo.
No me entiendo; soy contradictorio; no estoy contento
conmigo mismo y hay momentos en que salta una
chispa en mi vida, como una luciérnaga, y me lleno de
ilusiones, de proyectos, de utopías. Señor,
también ese hombre de los sueños soy yo.
Quiéreme, acéptame así; ten paciencia conmigo,
Señor, que un día llegaré y seré tuyo. Dame valor
para no cerrarme en mí mismo; valor para tocar con
mi corazón la vida de los otros; tu vida, Señor.
No entiendo cómo no soy más radical,
más coherente conmigo mismo. Me huele mal
ya la máscara que cubre mi rostro; quiero
lanzarla fuera pero tengo miedo a quedarme desnudo,
despojado, como realmente soy. Estoy vendido, Señor,
a la imagen que los otros me piden; estoy

*endido a ponerme las caretas de los ídolos que me
tiranizan. Con todo, Señor, estoy harto
de quedarme en la cáscara de las cosas;
fastidiado de sentirme vacío, superficial,
sin alegría y sin paz; fastidiado, Señor,
de no ser feliz, de resignarme a no vivir.*

*Me siento prisionero de un pasado duro y pesado
que no me deja avanzar; vuelvo la cabeza
atrás y pierdo el camino; me lamento del mal
que he hecho y me siento barro, pecado, nada.
Te necesito; te quiero presente en mi vida
para que me sanes, me cures, me liberes,
me hagas nacer de nuevo. Te necesito
para que no ponga mi apoyo en muletas que
limitan la libertad, ni en cosas que estimulan
hoy, y mañana hunden hasta el polvo y
el charco. Señor Jesús, sé Salvador de mi vida,
sé Maestro de mis años jóvenes; Señor Jesús,
abre mi corazón a tu proyecto y dame fuerza
para encajarlo en mi vida. Tu proyecto de paz y bien;
tu proyecto de verdad y libertad;
tu proyecto de pureza y sencillez;
tu proyecto de amor y misericordia.*

*No me resigno, Señor; también soy insatisfecho,
inquieto. Busco, te busco; llamo, te llamo; pido,
te pido. Quita la venda de mis ojos y
ábrelos a la luz de tu Evangelio; quita las cadenas
de mis manos y ábrelas a la ayuda del hombre
necesitado; rompe los cepos de mis pies y ponlos en
camino para anunciar la Buena Nueva; destruye los
barrotes de mi vida y hazme caminar en libertad;*

183

toca con tu amor, con tu compasión,
las muertes que me han golpeado y hazme revivir,
hazme nacer de nuevo, tú, Señor Resucitado.
Dame tu Espíritu de Amor; úngeme con su
fuerza y poder y envíame a anunciar tu Reino.
Mi corazón joven, Jesús para el servicio de tu Reino.
Así lo quiero; así estoy ante ti. Yo sé Jesús,
que eres Amigo: confío en la fuerza de tu amistad".

Es una oración sincera de un joven de 20 años. Lleno de tensiones, pero con ganas de vivir, de superarse, de buscar un proyecto para su vida y hacerlo realidad. Es el corazón del hombre, de cualquier hombre que está a nuestro lado. La oración iluminada con la Palabra de Vida nos hace reconocer nuestro barro; pero no se queda en la pobreza del barro. Nos da la capacidad para comprender el barro de los demás y no sentirnos superiores a ellos. Nos da la confianza de levantar nuestra mano pidiendo al Señor Jesús que sea nuestro Salvador, que venga en nuestra ayuda. Y nos lleva a ser "salvadores" de otros hombres; salvadores yendo a su encuentro y decirles todo lo bello que el Señor ha hecho con nosotros. La oración nos abre la vida a una manera nueva de ver, sentir, comportarnos, actuar allí donde estemos. La oración no nos deja en las manos nuestro barro, sino que nos lo hace poner en las manos del Alfarero para que realice esa Obra maravillosa que Dios tiene para cada hombre.

Abre tu corazón, amigo, a la persona de los hombres. Acércate a ella con sumo respeto. Intenta conocerla para saber tratarla. Y ama a cada uno como él es; así te ama Dios a ti. Descubre en los hechos de los hombres lo profundo, lo entrañable que anima el hecho. Descubre en sus palabras lo que lleva la palabra: el mensaje que no se dice; se capta. Acércate a cada hombre como a un misterio profundo. Guarda silencio ante él. Respeta, ama, no toques el misterio. Sitúate ante él y dale tu presencia.

Y no olvides nunca, amigo, que la oración va cambiando poco a poco tu persona y te va haciendo hombre nuevo. Enriquece a los hermanos con los dones que Dios te da. Y no olvides amigo, que la oración ha hecho en ti signos profundos: te ha sanado, te ha curado, te ha salvado. No te quedes con las maravillas que Dios te dio; vete y sana, cura, libera a los hermanos. Y no olvides que en la oración el Señor te ha comunicado sus Palabras de Vida. No las calles: vete a los hermanos y anúncialas. Y no te olvides que en la oración Dios te va, poco a poco, descubriendo sus misterios. Vete a los hombres y descúbreles el gran misterio de Dios: Dios es amor, Dios es Padre.

Después del encuentro con Dios en Jesús por medio de la experiencia de la Palabra, no olvides nunca, amigo, que en cada uno de nosotros vive una historia personal, como la del joven de 20 años; pero que nuestra historia no es única: es la historia del corazón de todo hombre, de toda mujer. Una historia que ha sido vivida por Jesús de Nazaret que se hizo hombre, uno de tantos, para hacer, de nuestra historia, su historia, y contársela al Padre. Cuando ores no olvides que el Padre "ya conoce" tu historia; y ten la confianza de que te quiere mucho porque ha llegado hasta su corazón de labios (corazón) de Jesús, el Hijo Amado. Jesús está siempre orando, siempre contando al Padre esas historias de gozos y dolores de todos los corazones de los hombres. Su encuentro con Dios "nunca es a solas"; todos nosotros —**nosotros los hombres**— estamos con El en su encuentro.

Sin duda alguna, aún te queda una pregunta que hacer: "*Entonces, ¿en la oración personal no se toman* **resoluciones** *que concreticen la oración? Y si no se toman esas resoluciones presentes, es decir, para hoy, para ahora; particulares, es decir, bien concretas, según lo que se haya meditado; y eficaces, es decir, que den fruto... entonces, ¿dónde queda la oración a la hora de la vida?*". Te digo, amigo, que si quieres puedes tomar una resolución al final de la oración, que te ayude a concretizar tu oración a lo largo del día. Pero yo te sugiero que la gran **resolución tuya** es la de comprometerte a tener todos los días tu tiempo personal de oración. Lo que yo te sugiero es que seas fiel a esa decisión, a esa "resolución". Y hazla cada día "*presente*", es decir: estate en la oración. Hazla cada día "*particular*", es decir, que tu oración sea bien concreta, centrada en la Palabra de Dios. Hazla cada día "*eficaz*", es decir, que pongas en ella todo el alma y que te vayas empeñando en ir cambiando tu historia personal y metiéndola en la historia de Jesús y su Evangelio; que te vayas empeñando en acercarte a los hombres con amor y que seas eficaz, es decir, que traduzcas ese amor con obras concretas. Tu resolución es la de ir cambiando tus actitudes profundas, tus disposiciones interiores, tus sentimientos reales. Cambiarlos según el estilo de vida de Jesús de Nazaret.

En el tercer espacio
del encuentro

Encuentro con la vida
de los hombres, día a día

La experiencia de Dios
que has vivido en su encuentro,
hazla experiencia de amor y servicio
en el encuentro con los hombres

1. Ahora dedica un poco de tiempo a revisar cómo has vivido el encuentro con Dios

En este tercer espacio del encuentro con Dios quiero sugerirte algo muy sencillo que te ayude a terminar tu tiempo de oración. Es algo de sentido común; algo que brota de un corazón sensible y noble. En cuatro palabras queda todo dicho: "revisa", "agradece", "ofrece" y "cuenta con alguien". Todo es breve. Apenas unos momentos al final. Pero es bueno para que tomes conciencia de lo que has hecho; descubras siempre al que te ha dado su gracia; no te quedes nunca con lo tuyo y ábrete siempre a la ayuda. No llegan a cinco minutos en el final del encuentro. Pero es como decirle al Señor: *"Aquí estoy"*.

Se trata de que pongas tu mente y corazón en Jesús el Señor, Centro del encuentro, y ante él disciernas, veas, revises. Hazlo con paz, con humildad y verdad. Y hazlo en forma orante "hablando" con el Señor.

—*Señor Jesús, ¿cuál era mi actitud, mi disposición interior al llegar al encuentro?*

—¿Me costó, Señor, ponerme en tu presencia? ¿Por qué? ¿De qué manera me puse?

—¿En qué centré, Señor, mi oración? ¿De qué "Palabra interior" me he servido en la oración?

—¿Has sido tú, Señor, "Alguien" o "algo" en mi oración? ¿Tengo experiencia de ti?

—¿Qué sentimientos interiores, qué actitudes profundas he tenido en la oración, Señor?

—¿He puesto más los ojos en mí, en mis problemas, o en ti, Señor?

—¿Qué he sentido, Señor, que debe cambiar? ¿Qué he descubierto que me pides?

—¿Cómo salgo de la oración? ¿Salgo animado o con un tono gris?

—¿En qué aspecto, Señor, tengo que poner atención especial en este día?

Aquí tienes unas sugerencias, amigo. Tú eres libre de buscar el camino para revisar tu oración. Lo importante es que vayas viendo tus fallos en la oración y de dónde vienen. Lo importante es que vayas descubriendo lo que Dios va haciendo contigo, las exigencias que tiene contigo, las gracias que te va concediendo. No seas pesimista al hacer la revisión. Sé hombre de esperanza; si hoy las distracciones fueron demasiadas; si hoy los nervios no te dejaron estar en paz; si hoy las preocupaciones no te dejaron centrarte; si hoy las prisas te desazonaron... Lo importante es que "mañana" vuelvas de nuevo: el encuentro será diferente, porque el amor es siempre algo por estrenar.

2. Agradece al Señor con sencillez lo que ha hecho contigo en el encuentro

Sin duda que durante el encuentro Dios se te ha manifestado de alguna manera. Tal vez despertando en ti un buen sentimiento; tal vez despertando en ti una nueva disposición para practicar tal virtud; tal vez te ha descubierto algún mensaje nuevo al interiorizar la Palabra; tal vez te ha hecho sentirte pequeño ante él; tal vez sientes que te ha fortalecido la fe, que una duda, un problema, una situación... comienza a tener horizonte. Es sencillo. No busques con la cabeza lo que el Señor ha hecho contigo en la oración. Quédate en silencio un momento y, con un sentimiento interior, deja que hable tu corazón.

Gracias, gracias de corazón, Señor,
por tu amor. Gracias por
haber estado aquí
contigo. Gracias.

Gracias porque he sentido
que me quieres,
he experimentado
que cuento en tu vida,
que todo lo mío te interesa.
Gracias de corazón.
Y gracias, Señor Jesús,
por aquellas cosas bellas
y maravillosas que
hoy has realizado en mí
y yo no llego a tener
conciencia de ellas.
Gracias.

Así de sencillo. Así de breve. Así, de amigo a Amigo.

3. Antes de irte,
ofrece al Señor tu corazón
lleno de ganas de vivir este día

Lo puedes hacer con un "sentimiento interior" sin palabras. Lo puedes expresar de tal manera que sea como algo que trenzas, que unes, que integras. Es el momento de ofrecerle al Señor "tu día", "este día" que él te da, y saber aquello de Jesús que dice: *"No os preocupéis por el día de mañana; a cada día ya le llegan sus propios agobios"*. Es el momento de poner en sus manos *"la arcilla"* que tú vas a trabajar en este día y decirle que "cuentas con las suyas" y que juntos realizaréis el trabajo, el servicio que hoy harás por el Reino.

Te ofrezco, Señor, este encuentro contigo. En tus manos pongo esas buenas disposiciones, esas ganas de vivir hoy para ti y en servicio de los hermanos. En tus manos pongo el esfuerzo que tú me pides; y en mis manos quiero recibir tu gracia para realizarlo. Bendíceme, aliéntame, acompáñame, Señor Jesús, para que realice tu Obra. Dame tu Espíritu Santo para que viva hoy en paz, en gozo y alegría. Lo que soy, lo que tengo, lo que sueño para hoy es tuyo. Toma mi corazón, Señor, y vive tú en él. Jesús, que hoy vivas tú en nuestros corazones.

Al ofrecer el día al Señor es como decirle a Jesús que quieres hacer hoy todo *"en su nombre"*. Y hacerlo en su nombre es realizar las cosas según su estilo de vida; es vivirlas con la fuerza de su Espíritu; es "ofrecer la vida" como un servicio a los demás. El Señor no necesita tanto nuestra vida, pues él ya es Vida; quien realmente necesita de nuestra vida, de nuestra ofrenda, es el corazón del hombre, de cada hombre o mujer que hoy encontremos en nuestro camino.

Si *"has revisado"* tu oración ante Dios es porque quieres ser honesto contigo y con él; si has revisado tu oración es porque no has querido pasar un tiempo, sin más, sino que has buscado **unirte a Jesús** para luego **dar fruto abundante**.

Si *"has dado gracias al Señor"* por las cosas que ha hecho en ti ha sido porque quieres ser noble, limpio en tus relaciones con él y darle a él lo que es de él; pero también quieres tomar conciencia de las cosas que el Señor va haciendo contigo, tomar conciencia de los **dones** que el Señor te va dando para que luego des **gratuitamente** a los hombres, lo que gratuitamente has recibido.

Si *"has ofrecido tu vida al Señor"* es porque quieres ser honesto contigo y con él, sabiendo que él es la

193

Raíz de tu vida, el Manantial de tu existencia. Y que tu vida **le pertenece**. Le devuelves lo que él te ha dado. Y también quieres poner tu ser joven en servicio de su Reino. Quieres no guardar nada, sino *"tomar parte en los duros trabajos del Evangelio según la fuerza que el Señor te ha dado"*.

La oración es ritmo de Dios al hombre y del hombre a Dios. El orante es **puente** entre Dios y los hombres. El orante es alguien que en el corazón de Dios se ha "encontrado" con el **hombre**, Jesús de Nazaret, y con el **Dios** que ha puesto su tienda entre los hombres y que **luego** vive esa experiencia: hacer encuentro con los hombres en su corazón donde Jesús vive por la fe. Un encuentro que sana, libera, salva, llena los corazones de gozo.

4. Aquí tienes el Método en sus trazos más importantes

I. *Antes del encuentro con Dios*:

—Dedica cada día un tiempo para Dios: "T.P.D.".

—Recuerda que la oración personal es un *encuentro a solas con Dios*.

—Encuentro que tiene lugar en lo profundo e íntimo del corazón.

—En ese encuentro estate allí con amor y paz y ocúpate en aplicar tu corazón a conocer y amar a Dios.

—Abre tu corazón a Dios para que lo llene de su Espíritu y te una interiormente a Jesús.

—Tu experiencia de soledad y silencio te ayudarán a hacer oración de recogimiento interior.

—Encuéntrate con Dios Padre y quédate ante él en "actitud de fe": cree, adora, agradece.

—Encuéntrate con el barro de tu corazón: humíllate, siéntete pequeño, reconcíliate.

—Encuéntrate con Jesús, único Mediador: únete a él, cuenta con su gracia, pídele su Espíritu.

—Unifica tu persona al orar: pon tu mente y corazón en Dios con paz y amor.

—Intenta que siempre haya diálogo en el encuentro: mantén ese diálogo con Dios por medio de la Palabra de Vida.

—Dialoga conforme te encuentres: con *"reflexiones numerosas"* con *"palabras interiores"* o con un *"sentimiento interior"*.

—Procura que tu oración con el tiempo llegue a ser de *"simple atención"*, de *"una mirada sencilla"*.

—Sé detallista en el encuentro con Dios: momento, tiempo, lugar, clima creado...

—No dudes nunca esto: si eres fiel en tu oración personal tu vida cambiará hasta sorprenderte.

II. Al principio del encuentro con Dios:

—Dedica un tiempo a serenarte, a encontrarte contigo mismo: conócete y asume tu historia personal; sé humilde ante Dios.

—Ora en espíritu y en verdad: desde tu corazón y bajo la moción del Espíritu; desde el amor y unido a Jesús.

—Ponte en la presencia de Dios ayudado de una frase evangélica o un verso de un Salmo: toma conciencia de que *estás*.

—Puedes seguir estos caminos: baja a tu corazón, sitúate ante el sagrario, busca a Dios en la creación, o en medio de la comunidad reunida en su nombre o en el hombre sufriente que vive hoy la historia de la Cruz.

—Ten conciencia de que el **"tú"** de Dios está presente y que tu **"yo"** también está presente, y que hacéis "encuentro".

—Acuérdate de que estás en la santa presencia de Dios: ¡Adórale!

***III.** Durante el encuentro con Dios:*

—Movido por su Espíritu, haz encuentro con Dios Padre por medio de Jesús, el único Mediador, el Gran Orante.

—Apóyate en la Palabra de Dios, Palabra de Vida, y apoyado en ella, haz "diálogo" constante con Dios.

—No te quedes en "pensar" ante Dios, sino "ama" a Dios: con un sentimiento, una palabra, en silencio, con un gesto...

—No te pierdas en ideas ni en pensamientos dispersos: céntrate en Jesús, que Jesús sea "el Centro" de tu oración.

—Acércate a la Palabra de Dios con fe profunda y deja que ella despierte tu corazón a Dios.

—Mira con los ojos de la fe a Dios, a tu pobre corazón, a Jesús: no olvides nunca estas *"tres miradas"* en el encuentro.

—Acércate a Jesús, rostro del Padre, en una *"disposición interior"* de fe, de humildad y de unión de amor.

—Dialoga con Jesús en la oración: pon tus ojos en su Persona, en sus misterios, sus dichos y sus hechos.

—Penétrate interiormente del espíritu que se esconde dentro y deja que cale en tu espíritu, en tu vida.

—Sigue los pasos de Jesús en el camino que la Iglesia te ofrece cada día en su Liturgia: ora la Palabra de cada día.

—No hagas problema de tu oración: aplica los sentidos interiores de tu corazón a la Palabra: ver, oír, oler, gustar, tocar.

—Abre tu corazón a tu historia personal y asúmela; abre tu corazón a la historia de los hombres y ayúdales.

—En los tiempos de oración el Espíritu Santo transforma nuestro corazón y nos identifica con Jesús conduciéndonos a entregar luego la vida en servicio del Reino: ésta es la voluntad del Padre.

IV. Al final del encuentro con Dios:

—Dedica con paz un momento a revisar tu oración.

—Da gracias a Dios por lo que ha hecho en ti durante el encuentro.

—Ofrécete a él con lo que eres y ofrécele tu vida como servicio a los hombres.

—Al irte, no dejes los buenos sentimientos en ese tiempo de oración; llévalos contigo y vívelos ayudado por María.

Durante el día, que Jesús viva en tu corazón y el de los hermanos, y que juntos realicéis la voluntad de Dios.

Y "mañana"... no olvides que de nuevo Alguien te espera para hacer "encuentro de amistad" contigo.

5. Cuenta con María, la Madre de Jesús, en todas tus cosas

*Mi corazón joven, Señora, Santa María, está
contigo. Como el discípulo amado yo también
quiero tenerte en mi casa, en mi vida, en mi trabajo,
en mis ilusiones, en los momentos duros.
Quiero, María, Madre de Jesús y madre mía,
que me acompañes hoy. Contigo quiero
vivir este día llevando a Jesús en mi corazón;
contigo quiero caminar, paso a paso,
dejando huellas de su presencia;
contigo quiero hacer encuentro con los hombres,
hijos de Dios. Quiero que alientes mi fe en Jesús
y mi adhesión a su Evangelio. Quiero,
Santa María, Señora del corazón profundo y
silencioso, que me ayudes a hacer camino hoy
en la presencia de Dios. Enséñame a adorarle,
a aceptarle, a amarle momento a momento.
Enséñame a abrir mi corazón a su voluntad,
a su proyecto en mi vida. Enséñame a vivir
en este día al ritmo de su Palabra de Vida.
Abre mi corazón joven a los hombres,
a la comunidad creyente. Abre mi vida al
compromiso y comunión con la Iglesia de Jesús.*

Quiero ser hoy constructor de su Reino de verdad,
justicia y paz. Quiero ser hoy servidor
de los hombres más necesitados.
Despierta en mi corazón,
Madre buena, la alegría y el gozo
para que deje semillas
de esperanza a mi paso por la tierra.
Sé tú, Señora de la comunidad,
como ángel custodio
que cuide mis pasos; sé tú,
Madre de la Iglesia,
como casa de puertas y ventanas abiertas
donde encuentre el calor de un
hogar con la lumbre
encendida. Cuento contigo hoy.
Permanece a mi lado como estuviste
fiel junto a la Cruz de tu Hijo Jesús, el Señor.
Que tu amor de Madre, que tu bondad y
ternura me acompañen en los
pasos de mi camino.
Yo te amo, yo te necesito, yo me entrego
todo a ti. Gracias, Madre,
por tu presencia en mi camino de cada día.

Aquí te dejo, amigo, esta oración a María, la Madre de Jesús, la gran contemplativa. Es bueno que termines tu *"encuentro a solas con Dios"* con una oración a la Virgen María. Tal vez ya hace mucho tiempo que te diriges a ella con alguna oración que te enseñaron de niño; tal vez te diriges a ella con una oración espontánea que te surge del corazón. Sea como fuere, dile algo a María, la Madre de Jesús, al final de tu oración. Es bueno. Es entrañable. Y cuenta con ella, con su amor, durante el día.

En un lugar llamado "Parmenia"

He llegado al final. Esta vez siguiendo los pasos de este hombre de fe, Juan Bautista de La Salle. Hombre de fe que supo orientarla hacia Dios en una fuerte experiencia de oración, de encuentro profundo. Hombre de fe que supo orientarla hacia el servicio a los hombres —a los jóvenes—, desplegando gozoso su celo ardiente. Hombre de fe que amó al Dios de Jesús con pasión y al mismo tiempo al Jesús encarnado, vivo en el corazón de los hermanos. Este hombre buscó a Dios estando con frecuencia a solas con él, y ese mismo Dios-encontrado le llevó a la Historia complicándole la vida hasta donde nunca se imaginó. Un hombre que dejaría a la Iglesia un maravilloso regalo: una comunidad de Hermanos educadores, empeñados en la educación humana y cristiana de los jóvenes; preferentemente de los más pobres, los más necesitados de salvación.

He llegado al final y quiero decir que he sido fiel al **Método de oración de la mente y del corazón** que

Juan Bautista escribió para iniciar en el "encuentro con Dios" a los jóvenes que llegaban a su comunidad, buscando un estilo de vida exigente desde la fe en Jesús y su Evangelio. He sido fiel a su "espíritu", a su "carisma", a "su alma". Fiel, no a la letra, sino al mensaje. Diría aún más: fiel a su método, a los pasos que él enseña, a la estructura que lo vertebra. Mi empeño ha sido en "hacer una nueva lectura" del Método para los **jóvenes** de hoy. Una lectura, sobre todo, cuidada en el "lenguaje", en las "expresiones", en el "estilo". Con todo, afirmo de corazón y con alegría: el libro no es mío; sigue siendo de La Salle.

No quiere ser sino un servicio a la Iglesia de Jesús; a esa Iglesia que tanto amaba La Salle. Un servicio a los **jóvenes creyentes** que se deciden a entrar por este camino apasionante de la oración personal. Un servicio a los jóvenes que quieren comprometerse en la construcción del Reino de Dios aquí y ahora, pero que han descubierto que "sin la unión con Jesús" el fruto es muy escaso; que *quien está unido conmigo ése da mucho fruto*". Un servicio a los jóvenes más empeñados, más comprometidos en ayudar a los hombres, a los necesitados, con la firme creencia de que "cuanto más activo sea uno, más contemplativo debe ser". Un servicio a los jóvenes en cualquier comunidad que vivan, con la firme creencia de que "cuanto más orantes sean, más amantes serán de sus hermanos en la comunidad". Un servicio a los jóvenes de hoy con la firme creencia de que "los tiempos perdidos en la oración a solas con Dios" son el alma de su apostolado, de su misión; de que los tiempos de oración son acción ya; de que los tiempos de acción, gritan, exigen, reclaman "tiempos de oración". Por amor a Dios, vamos a su encuentro; por amor a ese encuentro con los hombres vamos a encontrarnos con Dios para llevarles a esa experiencia de Dios y al mismo tiempo anunciarles la Buena Nueva del Evangelio con "fuerza, con poder": la del Espíritu que nos ha ungido en la oración.

Este **Método para llegar a la oración de recogimiento interior** pide algo más. Es una llamada a saber "hacer Parmenia", saber "hacer Alvernia", saber "hacer Manresa"... saber "hacer Pustinia". Me estoy refiriendo a saber tener cada semana, cada mes, cada año... **tiempos fuertes** de encuentro a solas con Dios. Eso que con otras palabras llamamos "hacer desierto", "estar en soledad". Así lo hizo Francisco de Asís en los montes de Alvernia; así lo hizo Ignacio de Loyola en la cueva de Manresa; así lo hizo Teresa de Jesús, Juan de la Cruz, Carlos de Foucauld... y tantos otros. Estos fueron los hombres que cambiaron la historia. Así lo hizo Juan Bautista de La Salle, cuando al final de sus días, vivió como Jesús en el huerto, una profunda crisis, y se puso en camino hacia la montaña, hacia la soledad sonora de aquel rinconcito de Parmenia. Allí a solas con Dios y ayudado de una mujer orante, Luisa, supo de nuevo encontrar el rumbo de su vida y abrirse a los Hermanos que él había fundado y venían a su encuentro pidiéndole que volviese a su Obra, que le esperaban con cariño en sus comunidades; que los niños, los jóvenes lo necesitaban. Juan Bautista, fortalecido e iluminado en su fe, volvió para llevar hasta el final el proyecto que Dios había puesto en sus manos.

Cada uno de nosotros tenemos "un lugar", un espacio donde encontrarnos con Dios. El Dios vivo que se convierte en "llama" que quema, abrasa y pone en camino hacia el Egipto dejado atrás donde los hombres son golpeados por el látigo; "llama" que conduce a la comunidad, peregrina, dinámica, itinerante por el desierto de la vida; "llama" que es preciso alimentar para que no se apague, entrando con frecuencia durante la marcha en "*la Tienda del Encuentro*", donde Dios se manifestaba a Moisés, el contemplativo-liberador; "llama" que anima, estimula, despierta esperanza para llegar, con alas de águila, hacia la Tierra Prometida.

Existe un lugar que todos conocemos; un lugar abierto a todo creyente; un lugar llamado **Jesús**. En el encuentro a solas con él nuestra vida se va haciendo encuentro comunitario con los hermanos.

Indice

TALLER SAN PABLO
BOGOTA, D.C.
IMPRESO EN COLOMBIA — PRINTED IN COLOMBIA